Alex Capus
Fast ein bißchen Frühling

4. Auflage

www.residenzverlag.at

© 2002 Residenz Verlag, Salzburg–Wien–Frankfurt/Main
Alle Rechte vorbehalten
Gestaltung, Produktion: typic®/wolf
Druck und Bindung: Wiener Verlag, Himberg
Printed in Austria
ISBN 3-7017-1286-7

Alex Capus

Fast
ein bißchen
Frühling

Roman

Residenz Verlag

*Die Namen einzelner Personen habe ich abgeändert,
um ihnen oder ihren Nachfahren mögliche Verlegenheiten
zu ersparen.*

A. C.

1. Kapitel

Das ist die wahre Geschichte der Bankräuber Kurt Sandweg und Waldemar Velte, die im Winter 1933/34 den Seeweg von Wuppertal nach Indien suchten. Sie kamen nur bis Basel, verliebten sich in eine Schallplattenverkäuferin und kauften jeden Tag eine Tango-Platte. Meine Großmutter mütterlicherseits ist zweimal mit ihnen spazierengegangen. Mein Großvater wäre beinahe auf offenem Feld von einer Hundertschaft Polizisten erschossen worden, weil er einem der Räuber ein wenig ähnlich sah.

★

Auf dem Basler Marktplatz steht ein Kaufhaus, das hat eine prächtige Jugendstilfassade und heißt Globus. Es ist Mittag, der dreizehnte Dezember 1933. Im Personalerfrischungsraum im Dachgeschoß sitzen die Verkäuferinnen an groben Fichtenholztischen und essen Brote, die sie von zu Hause mitgebracht haben. Vorne sitzen die Festangestellten in weißen Röcken; die Aushilfsverkäuferinnen tragen blaue Röcke und sitzen am hintersten Tisch. Wie in jeder Mittagspause stecken sie von der ersten bis zur letzten Sekunde die Köpfe zusammen und zanken.

»Wißt ihr, wen die Direktion diese Woche zum Fräulein Freundlich gewählt hat? Die Vollmeier Olga!«

»Was, die Vollmeier? Das Kartoffelgesicht?«

»Die mit der Papageiennase?«

»Mit der Affenfrisur?«

»Die soll Fräulein Freundlich sein?«

»Ich habe gehört, daß sie mit dem Reklamechef ins Kino geht.«

»Mit dem Abteilungsleiter!«

»Dem Reklamechef!«

»Dem Abteilungsleiter!«

»Ach, Fräulein Freundlich! Bis an Weihnachten draußen auf dem Marktplatz stehen in diesem blöden Kostüm, tausend klebrige Kinderhände schütteln und Nüsse und Lebkuchen verteilen – wer will das schon?«

»Es gibt halt Gratifikation.«

»Wenn man dafür mit dem Reklamechef ins Kino muß!«

»Du würdest ja noch so gern …«

»Ich …?«

»Mit dem Abteilungsleiter!«

»Dem Reklamechef!«

»Oder sonstwohin!«

»Wohin?«

»Also ich jedenfalls …«

»Habt ihr gehört? Im Kaufhaus Rheinbrücke haben sie den Sankt Nikolaus gleich mit dem Doppeldecker eingeflogen!«

»Wen würdest du denn als Fräulein Freundlich wählen?«

»Vor dir haben die Männer Angst.«

»Vor dir haben sie keine Angst, das weiß man.«

»Du, wenn du jetzt nicht sofort …«

»Sag doch, wen würdest du wählen?«

»Ich würde – Dorly wählen!«

Jubel.

»Dorly! Dorly! Du bist unser Fräulein Freundlich!«

Von links und rechts umarmen die Mädchen die groß-
gewachsene junge Frau mit dem kurzen, dunklen Haar,
die dem Disput still gefolgt ist. Dorly Schupp wehrt sich
unter Einsatz der Ellbogen gegen die falschen Zärtlichkeiten. Sie verzieht das Gesicht und wirft einen bösen
Blick über den Tisch zu dem blondbezopften Bauernmädchen, das den Spektakel mit spöttisch vorgeschobe-
ner Unterlippe beobachtet; denn das Bauernmädchen ist
es, das den Streit vom Zaun gebrochen hat, und sie ist es
auch, die Dorlys Namen ins Spiel gebracht hat – aus
Berechnung, weil sie selbst in die Defensive geraten war
und sich aus der Schußlinie nehmen mußte. Die Rechnung ist aufgegangen.

»Hört auf! Jetzt laßt mich!« Dorly befreit sich aus den
Umarmungen und steht auf. In der Aufregung stehen
links und rechts ein paar Mädchen mit ihr auf. Dorly ist
einen halben Kopf größer als die anderen, auch schlanker
und kräftiger; wenn es zum Kampf käme, würde sie es
wohl mit allen gleichzeitig aufnehmen. »Die war eine
richtige Amazone«, sollte meine Großmutter in späteren
Jahren sagen. »Die hätte einen Panther mit bloßen Händen erwürgt.«

Dorly streicht sich übers Haar und rückt ihren weißen
Kragen zurecht. »Ich muß zum Mittagsdienst.« Sie läuft
hinunter in die Schallplattenabteilung, um ihre Vorge-
setzte, die Erste Verkäuferin, abzulösen. Mittags gibt es
hier wenig Kundschaft. Dorly legt einen Tango auf und

staubt Regale ab. Sie genießt das Alleinsein. Noch immer ist ihr heiß von den Händen ihrer Kolleginnen und von deren Geschwätz. Dieses ständige Geschwätz! Jeden Mittag muß unbedingt ein Skandal losbrechen, und dann sind sie alle empört – eine empörter als die andere, ein richtiger Wettstreit, denn der Grad der Empörung gilt als Maß für die eigene Rechtschaffenheit. Je empörter, desto ehrbarer.

Ein Glockenschlag, die rote Lifttür geht auf. Kundschaft. Dorly dreht sich um, den Staubwedel in der Hand. Zwei junge Männer. Gutangezogene junge Männer in Knickerbockers, teuren Tweedmänteln und mit nach hinten gekämmten Haaren. Das Grammophon spielt weiter Tango. Jung sind die Burschen, und seltsam. Bestimmt sind's keine Hiesigen. Einen Hiesigen erkennt Dorly auf den ersten Blick – woran, das wüßte sie nicht zu sagen. Man kommt einander einfach bekannt vor, auch wenn man sich noch nie begegnet ist. Diese beiden hingegen sind wahrscheinlich Ausländer. Der Große hat einen freundlichen Blick wie, sagen wir, ein Österreicher. Und der Kleine könnte gut ein Finne sein, so grimmig, wie der dreinschaut.

Dorly muß an den zwei Burschen vorbei, um hinter den Verkaufstresen zu gelangen. Das Grammophon spielt noch immer Tango. Da deutet der größere, der Österreicher, eine Verbeugung an und wirft sich in Tanzpositur – und weil er so bubenhaft unbeholfen lächelt, nimmt Dorly die Aufforderung zum Spaß an und tanzt ein paar Schritte mit ihm im langsamen Alla-breve-Takt. Den Staubwedel hat sie samt ihrer rechten Hand in die linke des Österreichers gelegt, so daß das rosa Federbüschel vor ihnen hertanzt wie ein betrunkener Vogel. Wenn jetzt nur der Abteilungsleiter nicht vorbeischaut. Dorly hält sich den Österreicher vom Leib mit forsch gezischten Befehlen. »Rücken gerade! Nicht auf die Füße schauen! Hände nach oben!« Der Österreicher ist ein sehr schlechter Tänzer, aber er gehorcht, macht tapsige Schritte und Drehungen und zwinkert seinem kleinen Freund zu, dem Finnen. Der lehnt an einem Betonpfeiler, hat die Hände in die Manteltaschen vergraben und schaut zu. Endlich ist das Stück zu Ende, die Nadel schabt durch die leere Rille.

Dorly geht zurück hinter den Tresen, versteckt den Staubwedel irgendwo und rückt ihren Rock zurecht. Der Große bedankt sich artig. Sie bemerkt an seinem Akzent, daß er kein Österreicher ist, sondern Deutscher, aus dem Norden vermutlich. Im Augenwinkel sieht sie, daß der Kleine sich vom Betonpfeiler löst und auf sie zukommt. Der ist seltsam. Der Große ist ja schon seltsam, aber der Kleine ist noch viel seltsamer. Dorly ist plötzlich sehr damit beschäftigt, ihr Geschenkpapier, ihre Schere und die goldenen Bändel in Ordnung zu bringen.

»Die beiden waren zwei durchaus gegensätzliche Charaktere«, sollte Dorly Schupp fünf Wochen später aussagen, als sie nachts um zwei Uhr vom Basler Ersten Staatsanwalt einvernommen wurde. »Kurt Sandweg war ein kindlicher Draufgänger, der gerne lachte und das Blaue vom Himmel reden konnte. Waldemar Velte war ein ernster Typ, der nur den Mund aufmachte, wenn er etwas mitzuteilen hatte. Mir waren beide von Beginn weg sympathisch, besonders aber Velte, gerade weil er kein Charmeur war.«

Der Kleine bleibt vor dem Tresen stehen und wartet,

bis Dorly ihn anschaut. Er ist kaum größer als sie, vielleicht sogar ein bißchen kleiner, wenn man seine ziemlich hohen Absätze in Rechnung stellt.

»Bitte, Fräulein – ich möchte eine Schallplatte kaufen.«

»Ja?«

»In Deine Hände, von Willi Kollo.«

»Tut mir leid, die kenne ich nicht.«

»Sie ist ganz neu.«

»Ich glaube nicht, daß wir die am Lager haben. Einen Augenblick, bitte … Nein, tut mir leid. Die müßte ich außer Haus bestellen. Sie könnten sie dann morgen hier abholen.«

»Das wird nicht gehen.« Der Kleine nimmt die Hände vom Tresen und bereitet den Rückzug vor. »Kurt, wann fährt der Zug morgen früh?«

»Um sieben Uhr achtundvierzig.«

»Wir öffnen erst um acht. Tut mir leid.«

»Tut mir auch leid. Auf Wiedersehen, Fräulein.«

»Auf Wiedersehen.«

Dorly will sich schon abwenden, da hält der Große den Kleinen am Ellbogen zurück. »Du, wir können einen Tag länger in Basel bleiben, falls du – auf die Platte warten willst. Übermorgen fährt auch wieder ein Zug.«

»Wenn du meinst.«

»Werden Sie morgen wieder hiersein, Fräulein?« fragt der Große.

»Das weiß ich nicht. Vielleicht muß ich in einer anderen Abteilung aushelfen.«

»Dürften wir dann um Ihren werten Namen bitten?«

Dorly zögert.

»Müssen wir nicht angeben können, wer unsere Bestellung entgegengenommen hat?«

»Eigentlich nicht.« Dorly sieht hinüber zum Kleinen. Der hat sich abgewandt und scheint jetzt nur noch auf den Lift zu warten. »Na, meinetwegen. Ich heiße Viktoria Schupp. Meine Kolleginnen nennen mich Dorly.«

»Welches Sternzeichen haben Sie?«

»Das müssen Sie jetzt aber bestimmt nicht wissen!«

»Wir sind beide Löwe, geboren am dritten und vierten August 1910.«

»Nur einen Tag auseinander?«

»Ich bin der ältere, der dort der jüngere.«

»Ich bin Wassermann«, sagt Dorly. »Zweiter Februar – 1908.«

Hier lügt Dorly. Sie ist nicht fünfundzwanzig, sondern zweiunddreißig Jahre alt, und seit sechs Jahren geschieden. Aber das hat sie im Globus niemandem erzählt – niemandem außer diesem blonden Bauernmädchen namens Marie Stifter, das ihr in der Mittagspause immer gegenübersitzt und mit dem sie sich ein bißchen angefreundet hat.

*

Da die beiden einander kurz darauf aus den Augen verloren, fühlte meine Großmutter sich in späteren Jahren nicht mehr zur Verschwiegenheit verpflichtet. »Der haben zwei Jahre Ehe gereicht, um ihr alle Männer ein für allemal zu verleiden«, sagte sie mir über die Schulter hinweg, während sie auf der Veranda an den Kletterrosen umherschnipselte. Großvater saß über ein Kreuzworträtsel gebeugt am Gartentisch, knackte ärgerlich mit den Kiefergelenken und tat, als ob er nicht zuhörte. Großmutter sprach lauter als nötig und warf ihm kleine

Blicke zu. »Diese Dorly! Hat nicht lang gefackelt und sich – zack! – scheiden lassen. Zack! Den Mut hätte ich nie gehabt, war halt auch ein dummes Mädchen vom Land. Zack! Obwohl, wir waren ja noch gar nicht verheiratet, dein Großvater und ich, Ende dreiunddreißig. Noch nicht mal richtig verlobt, wie es sich gehört hätte …« Darauf stieß Großvater den Stuhl zurück und floh ins Haus. Als er außer Hörweite war, wurde Großmutter einsilbig und verscheuchte mich wenig später mit wedelnder Gartenschere.

★

Dorly Schupps Mann hieß Anton Beck, war Steuerbeamter und Radrennfahrer, ein noch junger Mensch von kaum dreißig Jahren, aber schon kühl, förmlich und in sich gekehrt, mit hageren Gliedern, harten Lippen und einer sich ankündenden Glatze am Hinterkopf; wenn jemand Dorly gefragt hätte, was ihr an ihm einmal gefallen hatte, so hätte sie keine Antwort gewußt.

Die beiden führten ein geregeltes Eheleben, an das sich Dorly schnell und leicht gewöhnt hatte. Damals war sie jung und anpassungsfähig und willens, alles im Leben richtig zu machen. Jeden Montag gingen sie zusammen zum Kegelabend des Staatspersonalverbandes, wo sie bald erfolgreicher war als er; Mittwoch war Waschtag, Freitag Fischtag. Sonntags ging Dorly zum Radrennen und feuerte ihren Toni an, und einmal wäre er beinahe Schweizer Meister geworden.

Es wäre eigentlich alles in Ordnung gewesen – wenn nur Toni nicht jedesmal von Kopf- und Rückenschmerzen befallen worden wäre, wenn im Schlafzimmer das

Licht ausging. In den ersten Ehewochen hatte Dorly sich darüber gewundert, aber dann hatte sie gemerkt, daß sie auch ohne diese Sache ganz gut zurechtkam; es war ja nicht ein lebensgefährlicher Mangel wie hungern oder frieren. Wenn nur Anton nicht so unglücklich gewesen wäre über sein Unvermögen! Wenn er nur nicht jedesmal mit einem Entsetzensschrei aus dem Schlaf geschreckt wäre, wenn er die merkwürdigen Dinge träumte, die er nun einmal träumte; wenn er es mit Dorly nur nicht immer wieder hätte erzwingen wollen mit aller Kraft und Ausdauer eines durchtrainierten Radrennfahrers; wenn er nur nicht jedesmal so verzweifelt gewesen wäre nach der neuerlichen Niederlage, und wenn er in seiner Verzweiflung nur nicht jedesmal derart in Raserei verfallen wäre, daß er Dorly grün und blau schlug und ihr das Kopfkissen aufs Gesicht drückte, damit die Nachbarn ihre Schreie nicht hörten. Und wenn er am nächsten Morgen nur nicht jedesmal so hündisch zerknirscht gewesen wäre, daß eine Frau jede Achtung vor ihm verlieren mußte, und wenn es nur nicht immer nach drei Wochen wieder von vorne begonnen hätte. Als Toni sie eines Nachts wieder würgte, daß ihr schwarz wurde vor Augen, packte Dorly morgens um drei ihre Koffer, durchquerte zu Fuß die ganze Stadt und kehrte heim zur Mutter, die an der Palmenstraße eine gutbürgerliche Vierzimmerwohnung bewohnte und seit dem Tod des Vaters allein war. Sie bezog wieder ihr Mädchenzimmer, fand eine Stelle im Globus als Aushilfsverkäuferin und mied fortan den Umgang mit Männern.

★

Aus dem Archiv der Kriminalpolizei Basel-Stadt:

Velte Waldemar, geb. 4. August 1910, anscheinendes Alter 28 bis 30 Jahre, ledig, Ingenieur, deutscher Staatsangehöriger. Signalement: Größe 172 cm, Gestalt schlank bis mittel, Haare blond, gekraust, wellig, nach hinten gekämmt, Stirne hoch, zurückweichend, Augen graugrün, Nase geradlinig, rasiert, dünne Oberlippe, Zähne weiß, gut erhalten, Kinn klein, rundlich. Grübchen, Gesicht länglich, Backenknochen etwas vorstehend. Sprache schriftdeutsch mit Kölner Dialekt. Kleidung: dunkelgrau, fast schwarz, Überzieher ohne Gürtel, braunfarbiger Anzug, farbiges Sporthemd mit Kragen, dunkelgrüner Schlitzfilzhut mit schwarzem Band, Vorderrand abwärtsgebogen, rotbraune Halbschuhe.

Sandweg Kurt, geb. 3. August 1910, anscheinendes Alter 25 bis 27 Jahre, ledig, Ingenieur, deutscher Staatsangehöriger. Signalement: Größe 185 cm, Gestalt sehr schlank, mager, Haare braun, mittellang, links gescheitelt, Stirne normal, Augen dunkel, Nase gewöhnlich, Schnurrbart rasiert, Lippen etwas aufgeworfen, Zähne weiß, gut erhalten, Kinn gewöhnlich. Gesicht länglich, blaß, mager, Wangen etwas eingefallen, starke Mundfalten. Blick freundlich, Sprache schriftdeutsch mit Kölner Dialekt. Kleidung: Mantel, zweireihig, dunkelgrau, Rückengürtel, dunkelgrauer Anzug mit weißen Linien, Kleidung gut erhalten, farbiges Stoffhemd mit Kragen, Selbstbinder, rotbraune Halbschuhe, kein Hut.

2. Kapitel

Ihren Anfang aber nimmt die Geschichte drei Wochen vor jener Begegnung im Globus, und zwar in Stuttgart. Am achtzehnten November 1933 liegt Nebel über der Stadt, die Ulmen sind naß und schwarz. Über den Schillerplatz laufen graugesichtige Beamte mit speckigen Mappen. Vor dem Arbeitsamt frieren die Arbeitslosen, ihre Frauen schielen auf dem Großstadtmarkt nach welkem Wintergemüse. Am westlichen Stadtrand steht in einem Weinberg ein sportlicher kleiner Wagen, ein 750er Dixi, Baujahr 1930, dessen Besitzer ihn am Vorabend bei der Polizei als gestohlen gemeldet hat. Die Motorhaube und das schwarze Lederverdeck sind feucht vom Tau. Im Wageninneren schlafen zwei Burschen. Ihre Gesichter sind zwischen Mantelkrägen und Mützenrändern kaum zu sehen. Der Bursche auf dem Fahrersitz ist lang und schmal. Seine dünnen Glieder haben sich im Wagen ausgebreitet wie Tentakel. Der zweite Bursche ist klein und geschmeidig. Er hat im Schlaf die Beine untergeschlagen und ist gegen die Brust des Fahrers gekippt. Und weil die Nacht so lang und kalt war, hat er sich schlafend immer dichter an ihn geschmiegt wie ein junges Mädchen.

Die Krähen werden aufmerksam auf die Speisereste, die zu beiden Seiten des Dixi liegen – Brotkrumen, sechs

Streifen Schinkenschwarte und ziemlich viel Käserinde, wie die Polizei am Nachmittag feststellen wird. Im Wageninneren erwacht der kleine Bursche. Er rückt von seinem Freund ab, wischt mit dem Ärmel über das beschlagene Seitenfenster und schaut hinaus in den Morgen, der voller herbeiflatternder Krähen ist. Seine Augen sind grün wie die einer Katze. Um die Krähen zu verscheuchen, öffnet er die Tür und zieht sie wieder zu. Die Vögel fliegen in einer weiten Schleife in einen anderen Weinberg, und der andere Bursche erwacht.

»Guten Morgen, Waldemar.«

»Guten Morgen, Kurt.«

Kurt Sandweg und Waldemar Velte schütteln einander ganz ernsthaft die Hand, wie sie das jeden Morgen tun. Sie haben vor ein paar Jahren zum Spaß damit angefangen, als sie noch Kinder waren und Erwachsensein spielten, und dann ist es ihnen einfach geblieben.

Währenddessen bereitet im östlichen Stadtteil Gablenberg Bankfilialleiter Julius Feuerstein den Arbeitstag vor. Als erstes zieht er die Ärmelschoner über und zählt den Kasseninhalt nach. Dann füllt er Tinte ins Tintenfaß, prüft die Spitzen seiner Schreibfedern und legt Fließblatt und Streusand bereit. Er schiebt Siegelwachs, Stempelkissen und Radiergummis ordentlich an ihren Platz, spitzt die Bleistifte und stellt am Stempel das Datum ein. Dann tritt er einen Schritt zurück, betrachtet sein Werk, rückt Kragen, Schlips und Jacke zurecht und zwirbelt den Schnurrbart. Der bullernde Kohleofen in der Ecke füllt den Schalterraum mit muffiger Wärme. Feuerstein setzt sich kerzengerade auf die Stuhlkante, nimmt einen Aktenordner zur Hand und schlägt ihn auf.

Über seinem Schreibtisch hängt goldgerahmt ein Portrait des Führers, der mit verschränkten Armen und gerecktem Kinn hinunterstarrt auf ein mausgesichtiges Männchen mit rundem Rücken, das in einer halbdunklen Ecke des Schalterraums seinen Arbeitsplatz hat. Das ist der Kontorist Gottfried Lindner, Feuersteins einziger Untergebener, in Ehren ergraut in zweiunddreißig Jahren Dienst bei der Stuttgarter Bank. Lindner hat sich schon gewöhnt an den jungen Feuerstein, diesen schnittigen Volksgenossen, der seit einem halben Jahr die Filiale leitet. Für Lindners Geschmack geht es jetzt manchmal etwas gar schnittig zu, und zuweilen denkt er mit Wehmut an seinen langjährigen Chef, der von einem Tag auf den anderen unentschuldigt nicht mehr zur Arbeit erschien. Aber einen steten Anlaß zu heimlichem Vergnügen hat Feuerstein unwissentlich doch eingeführt, und zwar am ersten Arbeitstag, als er das Portrait des Führers an die Wand hängte. Denn eines weiß der schnittige Filialleiter nicht, kann es gar nicht wissen von seinem Platz aus: daß das Ofenrohr auf seinem Weg vom Ofen zum Schornstein dem Führer mitten über die Stirn fährt – von Lindners Pult aus gesehen zumindest. Und wenn Lindner nur ein ganz klein wenig den Hals streckt, so verschwinden auch diese stechenden Augen hinter dem angerosteten Blech, und übrig bleibt nur das schwache Kinn und das säuerliche Gouvernantenmündchen.

»Lindner! Kaffee holen.«

Lindner steht auf. Seit zweiunddreißig Jahren empfängt er täglich um acht Uhr fünfunddreißig den Befehl zum Kaffeeholen. Seit zweiunddreißig Jahren ruft er »Jawoll!«, läuft über die Wagenburgstraße ins Kaffeehaus und kehrt zurück mit einem Tablett, auf dem zwei Tassen und Löffel, eine Zuckerdose und zwei Kännchen mit Kaffee und Sahne stehen. Nur einen Sommer lang hat er diesen Botengang nicht getan in all den zweiunddreißig Jahren; das war 1918, als Kaiser Wilhelm sich nach langem Zögern doch noch entschloß, Lindner für die letzten Kriegsmonate an die Westfront zu schicken. Dabei hatte Lindner das Pech, noch am achten August an der Somme einen Granatsplitter einzufangen, und seither zieht er das linke Bein etwas nach und spürt, wenn es Schnee gibt.

Lindner und Feuerstein rühren schweigend in ihren Tassen. Lindner rührt lautlos, wie es sich gehört, und ärgert sich wie jeden Morgen still, aber furchtbar über das ungenierte Geklingel in Feuersteins Tasse. Die Wanduhr tickt laut und zuverlässig. Da nähert sich von fern das Brummen eines Autos und verstummt vor dem Eingang.

Feuerstein stellt sich am Schalter auf und schaut zur Tür in Erwartung der ersten Kundschaft des Tages, während Lindner mit dem Tablett im Hinterraum verschwindet. Gut möglich, daß es die schöne Frau Niemayer ist, die jeden Samstag mit dem Taxi vorfährt und ihr Taschengeld abhebt von einem Konto, von dem der Herr Gemahl nichts ahnt. So sind sie, diese Weiber aus dem Villenviertel, die wer weiß aus welchen weichen Betten steigen, die Wangen wundgekratzt von einem fremden Stoppelkinn, und dann hier vorfahren, wie wenn es das Gewöhnlichste von der Welt wäre! Letzten Samstag zum Beispiel hat die Niemayer an Feuersteins Schalter gestanden mit ihrer Federboa und hat ganz ungeniert den Büstenhalter zurechtgezupft, während er die Auszahlungsquittung vorbereitete. Dabei hat sie ihm gleichgültig auf die Schreibhand geschaut, und als er übertrieben laut: »So! Das wär's!« gerufen hat, um die Frau zur Besinnung zu bringen und zu demütigen und ihr klarzumachen, wie schamlos sie sich aufführte in Gegenwart eines Mannes – da hat sie ihm gelangweilt ins Gesicht gesehen und sich mit ihren langen, roten Fingernägeln an der Hüfte gekratzt.

Feuerstein räuspert sich und versteckt seine halbleere Tasse in der obersten Schublade seines Schreibtischs, wo er eigens zu diesem Zweck eine Ecke freihält. Als die Schwingtür aufgeht, betreten statt der schönen Niemayer zwei bleiche Burschen den Schalterraum. Gutangezogene Burschen in Knickerbockers, teuren Tweedmänteln und mit nach hinten gekämmten Haaren.

»Guten Morgen, die Herren. Was kann ich für Sie tun?«

Da deutet schon eine Pistole auf Feuersteins Stirn. Über den Lauf hinweg fixiert ihn der kleinere Bursche mit grünen Augen und schweigt. Der zweite Bursche, ein langer und schlaksiger Kerl, hat keine Pistole. Der steht nur daneben und tut verlegen. Feuerstein wartet ab, was weiter geschieht. Da die Burschen schweigen, zieht er die Kassenschublade heraus und legt ein Bündel Notengeld auf den Schalter. Es sind fünfundzwanzig Fünfzigmarkscheine, tausendzweihundertfünfzig Reichsmark. In der Kasse liegen noch mehrere Bündel mit Hundertern, Zwanzigern und Zehnern.

Der schlaksige Bursche greift nach dem Bündel, steckt es in die Manteltasche, sagt: »Danke höflichst!«, deutet eine Verbeugung an und lüftet zum Abschied die Mütze. Feuerstein wundert sich – macht der sich lustig über ihn? Nein. Der scheint mit dem einen Bündel tatsächlich zufrieden zu sein. Dabei ist noch viel mehr da. Ulkiger Kerl. Der Kleine mit den grünen Augen aber hält die Pistole weiter starr auf Feuerstein gerichtet. Der macht keinen Spaß. Der will mehr.

Der alte Lindner im Hinterraum merkt von alldem nichts. Er trinkt bedächtig seinen Kaffee aus, stellt die Tasse geräuschlos aufs Tablett, rückt Rock und Schlips zurecht und hinkt nach vorn in den Schalterraum. Alle erschrecken: Lindner über die Pistole vor Feuersteins Stirn; die zwei Räuber über den unerwartet auftauchenden Lindner; und Feuerstein über den Schreck in den Gesichtern der Räuber. So springt der Schreck von einem zum andern wie ein Eichhörnchen, das von Baumkrone zu Baumkrone eilt, und als der Schreck wieder bei Lindner anlangt, zuckt dieser zusammen, worauf reihum alle zusammenzucken, und dann löst sich eine Kugel Kaliber 7,65 Millimeter aus der Pistole. Sie durchbohrt Feuersteins Stirn, der Hinterkopf explodiert. Julius Feuerstein, siebenundzwanzig Jahre alt und ledig, Mitglied der nationalsozialistischen SA, des Haus- und Grundbesitzervereins, des Turnvereins Gablenberg, der Schneeschuhabteilung des Schwäbischen Albvereins sowie der Auto-Union, ist schon tot, als er im Fallen die offenstehende Kassenschublade herunterreißt. Es hagelt Mark- und Pfennigstücke auf ihn hinunter; die Scheine bleiben in der Schublade, da sie von Klammern festgehalten werden.

Lindner flieht zurück in den Hinterraum. Ein zweiter Schuß geht los, ein dritter, vierter, fünfter und sechster,

Holz splittert, Mörtel spritzt, aber Lindner erreicht unverletzt den roten Knopf und drückt ihn erstmals in zweiunddreißig Dienstjahren. Draußen beginnt das Geschepper der Alarmglocke.

★

An der Stelle, an der Julius Feuerstein starb, werden viele Jahre später zwei weiße Schreibtische mit zwei weißen Computern stehen. Die Räume beherbergen keine Bank mehr, sondern ein Reisebüro. An den Wänden hängen großformatige Photographien von Bali, Mexiko und Spitzbergen, im Schaufenster liegen bunte Prospekte mit Last-minute-Angeboten. An den Tischen sitzen zwei freundliche junge Damen; wenn man ihnen vom Banküberfall erzählt, sehen sie gleichzeitig zu Boden, wie um nachzuschauen, ob auf dem Nadelfilzteppich etwa noch Blutflecken auszumachen seien, und rufen einstimmig in herzerwärmendem Schwäbisch: »Ja waa!«

★

Augenzeugen sagten übereinstimmend, daß die Tür aufgeflogen sei und die Bankräuber herausstürmten; daß der kleinere stehenblieb und die Pistole auf die Passanten richtete; daß der andere in den Dixi stieg, den Schlüssel ins Zündschloß steckte und den Wagen zu starten versuchte; daß der Motor nicht ansprang, weil der Anlasser viel zu langsam und immer noch langsamer drehte und die Batterie leerte, bis der Räuber mit der Pistole rief: »Hör auf! Ich schiebe dich an.« Darauf habe er sich mit der linken Schulter gegen den Türrahmen gestemmt und den rechten Arm mit der Pistole auf die Passanten

gerichtet. Auf der abschüssigen Talstraße sei der Dixi
schnell in Fahrt gekommen; der Kleine mit der Pistole
sei aufs Trittbrett gestiegen, dann sei ein Ruck durchs
Auto gegangen, und der Motor sei angesprungen.

★

Mein Großvater war ein wortkarger Mann. Wenn
Großmutter in Rufnähe war, redete er grundsätzlich
nicht. Und wenn er gesprächig wurde – etwa beim
Schneiden der Sauerkirschbäume Anfang Februar weitab vom Haus –, so mied er sorgfältig Großmutters Wei-
berthemen. Er war Schulmeister. Sein Gebiet waren
Fakten, und sein Wissen war enzyklopädisch: Schäd-
lingsbekämpfung im Obst- und Gartenbau, das Sozial-
verhalten der Füchse und Krähen, die Umlaufzeiten der
Jupitermonde, die Geschichte des Automobils. »Ich selber bin nie einen Dixi gefahren, aber der war schon sehr
beliebt damals. Ein Kleinwagen britischer Bauart. Sport-
lich, aber nicht allzuteuer. Wurde ab 1928 von BMW in
Lizenz gebaut, im Eisenacher Werk, wenn ich mich
recht erinnere. Vier Zylinder in Reihe, 748,5 Kubik-
zentimeter Hubraum, stehende Ventile, knapp 15 PS
und 100 Stundenkilometer Spitzengeschwindigkeit. Ein
Schwachpunkt war der A-förmige Leiterrahmen mit
starren Achsen, vorne an Querblattfedern aufgehängt
und hinten an Viertelelliptikfedern, was dem Dixi ein
schwimmendes Kurvenverhalten gab. Trotzdem war er
als Rennwagen ziemlich erfolgreich. Gewann 1929 den
Alpenpokal, 1930 die Rallye Monte Carlo in der 750er-
Kategorie.«

★

Nach fünfhundert Metern biegt der Dixi nach links ab in die Abelsbergstraße und dann gleich nach rechts in die Luisenstraße – eine kleine, ruhige Sackgasse mit Gärten und zweistöckigen Arbeiterhäuschen. Im Obergeschoß von Hausnummer 38 hängt eine Frau Bettzeug zum Auslüften aus dem Fenster. Verwundert mustert sie das fremde Automobil, das da in ihrer Straße hält. Polizei-kennzeichen III A 17668, das sollte sie sich vielleicht auf-schreiben. Mal sehen. Die Frau tritt einen Schritt vom Fenster zurück und zieht die Gardinen zu, aber zu spät: Der Fahrer des Autos hat sie gesehen, hat zu ihr hoch-geschaut und gelächelt. Der hat ja ein ausgesprochen freundliches Lächeln, das muß man ihm lassen. Durch die Gardinen beobachtet die Frau, was weiter geschieht. Der freundliche Bursche fängt an zu reden und zu gesti-kulieren; jetzt erst bemerkt die Frau, daß auf dem Bei-fahrersitz ein zweiter Bursche sitzt, von dem sie nur die Beine und den Bauch sehen kann. Die beiden scheinen zu streiten. Die Frau bedauert, daß sie nichts hören kann. Der Nette scheint auf den anderen böse zu sein, und der scheint sich zu verteidigen. Nach einer Weile hat das Gestikulieren ein Ende, im Auto wird es ruhig. Dann nimmt der nette Bursche die Mütze vom Kopf, schlüpft im engen Wagen aus Mantel und Joppe und zieht auch noch Schuhe und Knickerbockers aus. Der andere auf dem Beifahrersitz tut dasselbe, und dann ziehen beide neue Kleider an, die offenbar auf dem Rücksitz bereit-lagen. Seltsam. Jetzt muß die Frau das Polizeikenn-zeichen aber wirklich aufschreiben.

Die Burschen hätten es überhaupt nicht eilig gehabt, wird sie dem Kriminalrat Wilhelm Schneider, der die

Untersuchung leitet, am nächsten Morgen sagen. Ganz gemütlich und ohne eine Spur von Hast seien sie über die Treppe am Ende der Sackgasse hinunter zum Kanonenweg geschlendert, die abgelegten Kleider ordentlich gefaltet über dem Unterarm. Auf der Treppe habe der Kleine dem Großen, also dem Netten, auf die Schulter geklopft, wie um ihn zu beruhigen, und dann habe der Große mit dem Kleinen dasselbe getan.

Kriminalrat Schneider verabschiedet sich von der Frau und geht den Treppenweg hinunter, dann biegt er stadteinwärts ein in den Kanonenweg. An der nächsten Kreuzung schaut er nach links, und da sieht er weit hinten die Bankfiliale, vor der jetzt keine Polizeiwagen mehr stehen. Gut möglich, daß die Räuber genau hier gestanden haben kurz nach dem Banküberfall und daß sie die Polizei beobachtet haben, die sich mit allen verfügbaren Kräften an die Verfolgung machte, und zwar stadtauswärts. Mit ordentlich gefalteten Kleidern über dem Unterarm. Das müssen freche Burschen sein. Frech und kaltblütig.

Kriminalrat Schneider setzt sich wieder in Bewegung. Wenn sie stadteinwärts geflohen sind, müssen sie irgendwo untergeschlüpft sein. Er geht vorbei am neuen und am alten Schloß und hinein in die Altstadt, vorbei am Rathaus zum Jugendvereinshaus an der Torstraße. Es ist Sonntag morgen, das Haus still, die Treppe steil. Er findet den Herbergsvater in der Küche beim Pfannenpolieren. Schneider versteckt ein ratloses Lächeln hinter seinem Schnauzbart. Diese Schwaben! Stehen sonntags vormittags schon in aller Herrgottsfrühe in der Küche und polieren Pfannen, wie wenn das das Schönste wäre auf der Welt. Tatsächlich ist der Herbergsvater frisch rasiert und munter und rosig wie an jedem Morgen seines fünfzigjährigen Lebens. Diese süddeutsche Munterkeit wird Schneider nie verstehen. Er stammt aus Hamburg und hat sich nur seiner Frau zuliebe hierher versetzen lassen, als sie beide noch jung und dünn und frisch verliebt waren.

Der Herbergsvater stellt zwei Tassen Kaffee auf den Küchentisch, Schneider nimmt das Gästebuch zur Hand. Der letzte Eintrag lautet: Kurt Sandweg und Waldemar Velte, beide Jahrgang 1910, Anreise aus Wuppertal, abgereist am 19. 11. in Richtung Ulm und München.

»Die zwei da. Sind die wirklich schon weg?«

»Heute in aller Herrgottsfrühe, leider. Ich habe nur noch die Treppe knarren gehört. Sehr nette Jungs.«

Kriminalrat Schneider steht auf und knöpft den Mantel zu. Er will sofort zurück aufs Kommissariat und die Fahndung einleiten.

Aber der Herbergsvater hält ihn zurück.

»Die kommen als Bankräuber überhaupt nicht in Frage.«

»Wieso nicht?«

»Erstens weil sie kaum Geld in der Tasche hatten. Die haben mich sogar um einen Rabatt angebettelt. Habe ich ihnen natürlich gewährt. Sehr nette Jungs.«

»Und zweitens?«

»Zweitens machten beide einen soliden und ernsthaften Eindruck. Besonders Kurt Sandweg hatte etwas Vertrauenerweckendes im Gesichtsausdruck, wissen Sie? Und dann die ordentliche Kleidung und die rheinische Mundart …«

Der Herbergsvater verteidigt seine Gäste mit so viel Überzeugungskraft, daß Kriminalrat Schneider eine ganze Anzahl Namen aus dem Gästebuch abschreibt, nicht aber jene von Sandweg und Velte. Das ist schade für den Herbergsvater, denn schon an jenem Sonntag morgen sind tausend Reichsmark Belohnung ausgesetzt für Hinweise zur Aufklärung des Gablenberger Banküberfalls.

3. Kapitel

Stunde um Stunde holpert ein Lastwagen nordwärts durch den schmalen Spalt zwischen der Wolkendecke und dem herbstbraunen Land. Auf der leeren Ladepritsche sitzen Kurt Sandweg und Waldemar Velte. Sie haben die Mützen tief ins Gesicht gezogen und die Mantelkrägen hochgeschlagen; zum Schutz vor dem eisigen Fahrtwind pressen sie sich Schulter an Schulter eng an die Rückwand der Fahrerkabine. Die Pistole hat Velte irgendwo ins Gebüsch geworfen. Über viele Kilometer folgt die Straße dem mächtigen Rhein. Die Schleppschiffe blasen mit den Nebelhörnern zum Gruß, wenn sie einander kreuzen, und über die Decks sind Leinen mit nie trocknender Wäsche gespannt. Von den Anhöhen schauen stolze Schlösser und Burgen hinunter auf die braven Bürgerhäuser am Ufer.

Endlich entfernt sich die Straße vom Fluß. Schon nachmittags um vier Uhr dämmert hier der Abend. Im Westen ziehen schwarz gezackt die Spitzen des Kölner Doms vorbei, und dann sind Waldemar und Kurt wieder zu Hause in Wuppertal, das trotz seiner vierhunderttausend Einwohner keine richtige Stadt ist, sondern eher eine Kette düsterer, krisengeschüttelter Industriedörfer, die sich im engen Tal aneinanderdrängen. Mag sein, daß die Wupper vor vielen Jahrhunderten ein klares Flüßlein in einem lieblichen Tal war; dann aber stellte sich heraus, daß ihr kalk- und eisenfreies Wasser für die Textilindustrie bestens geeignet war. Heute ist sie eine schäumendbraune Brühe, die Fabriken stehen dicht an dicht, und seit dem Börsenkrach von 1929 steht jede zweite still. Hoch über dem Wasser summt die berühmte Schwebebahn, ein genietetes Wunderwerk aus dem vorigen Jahrhundert. Der Nordwind drückt kohlschwarze Rauchfahnen hinunter in die Straßen, und es ist November.

Kilometerweit fährt der Lastwagen die Wupper entlang; schon naht der östliche Stadtrand. Der Fahrer sieht sich durch die Heckscheibe fragend nach seinen Passagieren um. Endlich klopft Waldemar gegen das Blech der Fahrerkabine, und der Lastwagen bleibt stehen. Waldemar und Kurt winken zum Abschied, springen von der Ladepritsche und stehen mitten auf dem Berliner Platz, nicht weit vom nordöstlichen Stadtrand, wo die Jugendstilhäuser der Fabrikdirektoren Ausblick auf Pferdeweiden und Buchenwälder haben. Eine Weile gehen sie noch zusammen hügelan, dann schütteln sie einander zum Abschied die Hand.

Waldemar öffnet das Gartentor und schleicht ums Haus. Er hat Glück, der Hintereingang ist nicht abgeschlossen. Im Flur flackert der Widerschein eines Feuers. Im Wohnzimmer beim Kamin steht Waldemars zehnjähriger Bruder Lothar vor der Mutter, die ihm seine brandneue Uniform zurechtrückt. Der Vater ist nicht da; der bemüht sich Tag und Nacht, sein Baugeschäft durch die Krise zu bringen. Im Hintergrund auf dem Sofa sitzt mit untergeschlagenen Beinen Hilde, Waldemars dreizehnjährige Schwester. »Das war das letzte Mal, daß wir drei Geschwister beieinander waren«, wird sie fast sieben Jahrzehnte später sagen. »So was vergißt man nicht. Ich entsinne mich auch, daß ich an jenem Abend ›Pünktchen und Anton‹ von Erich Kästner las. Das war ziemlich neu damals.«

Der kleine Lothar hat die Mütze tief in die Stirn gezogen. An seiner Seite hängt das Fahrtenmesser mit dem schicken schwarzweißroten Hakenkreuzemblem; auf der Klinge sind die Worte »Blut und Ehre« eingraviert. Als Waldemar eintritt, schnellt Lothar herum und deutet mit ausgestrecktem Arm auf ihn. Sein Kindergesicht verzerrt sich vor Wut.

»Waldemar! Du sagst jetzt nichts! Nichts, hörst du!«

»Guten Abend«, sagt Waldemar. Die Mutter lächelt unbehaglich. Hilde sitzt still auf dem Sofa und läßt das Buch in den Schoß sinken.

»Waldemar! Du!« schreit Lothar, den Arm immer noch ausgestreckt. Dann preßt er die Lippen aufeinander und läßt den Arm sinken. Er stampft an Waldemar vorbei, schlägt die Tür zu und geht auf sein Zimmer. Waldemar küßt die Mutter und läßt sich in einen Ledersessel fallen.

»Nun habt ihr ihm die Uniform also doch gekauft.«

»Den Winteranzug, ja.«

»Schmuck.«

»Was hätte ich denn machen sollen? Den Sommeranzug habe ich ihm ja nicht gekauft und den Sportanzug auch nicht, obwohl der Bub monatelang gebettelt und gebettelt hat. Aber letzten Donnerstag hat dann der Fähnleinführer vor der Tür gestanden. Ganz streng hat er mich angeschaut und wissen wollen, warum Lothar immer noch in Räuberzivil zum Dienst komme.«

»Was hast du geantwortet?«

»Daß unser Baugeschäft schlecht läuft und daß wir kein Geld hätten. Und weißt du, was das Bürschchen gemacht hat? Hat mich frech von oben bis unten gemustert und gesagt: ›Ach ja! Aber für Sie hat's gerade noch gereicht, wie?‹«

Waldemar steht auf und legt ein Scheit ins Feuer.

»Laß den Kleinen in Ruhe, ja?« sagt die Mutter.

»Weißt du, es sind jetzt alle dabei, wirklich alle. Du solltest sie sehen, wenn sie am Samstag aus der Stadt und in den Wald marschieren.«

»Ja, ich weiß. Die Kolonnen, die glänzenden Augen, die Trommeln und Fanfaren. Die Lieder, die Fahnen.«

»Langweilig wird denen nie bei all den Ausflügen und Zeltlagern und Märschen und Abendkursen. Und Lothar ist auch schon viel kräftiger geworden.«

Waldemar steht auf. »Du entschuldigst mich bitte, Mama. Kurt und ich gehen morgen früh nochmal auf Reisen.«

»Schon wieder? Wohin?«

»Mit dem Rheindampfer nach Königswinter und weiter an den Felsensee. Ein paar Freunde zelten da und erwarten uns.«

»Zelten? Im November?«

»Das macht uns nichts aus.«

»Waldemar?«

»Ja?«

»Hast du dich letzthin nach Arbeit umgesehen?«

»Wir haben in der Industrie vierzig Prozent Arbeitslosigkeit, Mama. Und die paar freien Stellen sind für Parteimitglieder reserviert.«

»Dann geh doch zum Arbeitsdienst.«

Waldemars Schwester Hilde hat das Gespräch still mitverfolgt. An die letzten Worte ihres Bruders wird sie sich das ganze Leben erinnern. »Nein, nein und immer wieder nein. Ins Arbeitsdienstlager Marscheider Wald vielleicht? Zum Holzschlagen im Dienst der Volkswohlfahrt? Ich werde diesen Verbrechern nicht auch noch helfen.«

Im Morgengrauen des nächsten Tages schleicht Waldemar die Treppe hinunter, das lederne Reiseköfferchen in der rechten Hand. Die Mutter liegt wach und lauscht seinen Schritten. Der Bruder liegt wach und lauscht seinen Schritten. Die Schwester liegt auch wach und lauscht. Waldemar geht durchs Eingangsportal, dessen Rahmen aus mächtigen, roh behauenen Felsblöcken besteht. In die Blöcke eingelassen ist über der Tür ein kreisrundes, bleigefaßtes Fenster von etwa einem Meter Durchmesser, welches ein Wappen enthält. Vater Veltes Felsenfestung, seine uneinnehmbare Trutzburg, die er der Familie gebaut hat als Zuflucht vor der Welt – aber jetzt muß die Welt nur einen pubertierenden Fähnleinführer schicken oder einen nach Zwiebeln stinkenden Konkursbeamten, und schon sind Weib und Kind schutzlos wie die Hasen auf dem Feld.

Waldemar läuft die steil ansteigende Straße hoch. Oben an der Kreuzung steht Kurt. Auch er hat sein ledernes Köfferchen bei sich. An dieser Kreuzung ist Waldemar vor ein paar Monaten verprügelt worden, weil er »Guten Tag« sagte, statt auf die staatlich verordnete Weise zu grüßen. Als er sich am Boden krümmte, hat ihm ein Volksgenosse den Pistolenlauf in den Mund gesteckt, und zwei andere, die er noch vom Gymnasium her kannte, haben sich links und rechts neben ihm hingekniet und ihm »Volksfeind! Volksfeind!« in die Ohren gebrüllt. Den Geschmack von Waffenöl hatte er noch Tage später im Mund.

Waldemar Velte und Kurt Sandweg laufen hinunter zur Schwebebahn. Daß sie keinen Moment daran denken, am Felsensee zu zelten, ist klar.

★

Hilde Velte hat immer und immer wieder über die große Reise ihres Bruders nachgedacht; »Ich glaube, die wollten nach Amerika, oder nach Indien. Wir hatten einen Onkel, der als Ingenieur auf einer Teeplantage arbeitete. Da wollten Kurt und Waldemar hin. Die haben es nicht mehr ausgehalten zu Hause. Mein Bruder war ein ernster Mensch, fröhlich, aber auch schwermütig. Der hat viel gelesen, Nietzsche und Schopenhauer. Das wird ihn auch nicht grad aufgeheitert haben. Einmal wollte er sich sogar so einen mächtigen Schnurrbart stehen lassen, aber da ist nicht viel gewachsen. Als dann das mit den Nazis anfing, war er richtig verzweifelt. Kurt hingegen war ein sonniges Gemüt. Der ist wohl einfach mit Waldemar mitgegangen, weil er sein bester Freund war. Der war ein Sonntagskind. Der wäre überall glücklich gewesen. Egal wo.«

★

Eine Reise nach Indien aber ist ein kompliziertes Unterfangen, seit nach dem Großen Krieg die Beamten die Macht übernommen haben mit ihren Stempeln und Formularen und Vorschriften. Sie wollen ein Visum für Belgien? Das gibt's in Köln. Ein Transitvisum für Frankreich? Wozu brauchen Sie das denn, wenn Sie schon nach Belgien fahren? Nur so, für alle Fälle? Na ja, Sie müssen's wissen. Wenn Sie die Umtriebe nicht scheuen – das französische Konsulat ist aber in Düsseldorf! Sie haben doch die Bescheinigungen X und Y dabei? Tut mir leid, die müssen Sie bei der Stadtverwaltung Ihres Wohnorts einholen, in ähh, Wuppertal, jawoll, abgestempelt vom Einwohnermeldeamt und von der Polizei. In dreifacher Ausführung, jawoll, sage ich doch. Ach, da sind Sie ja wieder! Aber was ist das denn? Da fehlt ja die Datumszeile! Tut mir sehr leid, da müssen Sie schon zurück nach, ähh, Wuppertal, jawoll … Nein, die Datumszeile kann ich nicht selbst einfügen, wo denken Sie hin, Urkundenfälschung und Amtsanmaßung. Bringen Sie nächstes Mal gleich drei Paßphotos, zwölf Reichsmark und eine Abschrift Ihres Heimatscheins mit, ja? Dann füllen wir umgehend das Antragsformular aus, das wir dann weiterleiten an …

So geht das vier Tage lang. Kurt und Waldemar hetzen von Stadt zu Stadt, irren durch fremde, flaggengeschmückte Stadtteile auf der Suche nach dieser oder jener Amtsstube, warten ergeben in langen, frisch gewienerten Fluren auf harten Holzbänken, aber dann ist leider Dienstschluß, kurz bevor sie an der Reihe wären, und der Hausmeister scheucht sie mit dem Besen auf die Straße. Sie übernachten in trüben, verwanzten Pensionen mit quietschenden Betten. Wenn nachts irgendwo die Polizeisirene heult, schrecken sie aus dem Schlaf. Aber zu guter Letzt läuft alles glatt, und Sandweg und Velte überqueren die deutsch-belgische Grenze bei Aachen.

4. Kapitel

Antwerpen, vierundzwanzigster November 1933. Am Hafen duftet es betörend nach verbranntem Diesel, faulem Fisch, Schmieröl und frischer Meeresluft. Die Drehwippkräne greifen wie prähistorische Insekten in den Nebel. Im Wasser liegen Schiffe in allen Größen. Auf den Piers und Kais wimmelt es von Menschen: Matrosen auf Landurlaub, Kaiarbeiter, Schauerleute, Lagerarbeiter, Kranführer, Wäger, Messer, Schlepperleute, Festmacher, Schiffsreiniger und, natürlich, die reichen Passagiere mit ihren Pelzmänteln, ihren steifen Hüten und ihren Kofferträgern. An der Landebrücke erhebt sich schwarz wie ein stählerner Berg ein Linienschiff. Die Schiffsmotoren dröhnen, das Wasser im Hafenbecken sprudelt, zwei Festmacher lösen die Taue. Dann wird der Spalt zwischen dem Pier und der Schiffswand breiter. Hoch oben blicken bleiche Gesichter ins Leere, manche winken dem Alten Kontinent zum Abschied. Die Bordkapelle auf dem Promenadendeck spielt unter bunten Lampions einen Walzer. Die Möwen tragen die Musik kreischend aufs offene Meer hinaus.

Das Schiff fährt ohne Kurt und Waldemar – erstens weil sie nicht über die nötigen Papiere verfügen, zweitens weil Amerika auch ohne sie schon fünfzehn Mil-

lionen Arbeitslose hat und drittens weil die tausendzweihundertfünfzig Reichsmark aus dem Banküberfall
nirgends hinreichen. Jetzt sitzen sie am Pier auf einer
Taurolle und lesen Zeitung.

ERSTE SEITE: Aus ganz Nordfrankreich strömen tausende von arbeitslosen Stahl- und Kohlegrubenarbeitern
der Hauptstadt entgegen. Sie marschieren in kleinen
Gruppen von zwei bis fünf Mann, weil die Polizei jede
Manifestation in geschlossenen Reihen verboten hat. Die
Landstraßen von Calais, Lille und Roubaix nach Paris
werden streng bewacht.

VERMISCHTE MELDUNGEN: Im schottischen Hoch-
land macht Photograph Hugh Gray an einem nebel-
verhangenen See namens Loch Ness als erster Bilder
eines saurierähnlichen Wesens.

DEUTSCHLAND: Reichskommissar Hermann Göring
forciert den Bau von staatlichen Konzentrationslagern.
Er will das Treiben der SA unter Kontrolle bringen, die
auf eigene Faust wilde Lager unterhält. In sämtlichen
Landesgegenden sind heftige Proteste auch aus national
gesinnten Kreisen laut geworden gegen das blindwütige
Foltern und Morden.

INTERNATIONAL: In Europa und Nordamerika
werden Jahr um Jahr mehr Banken überfallen. Die Räuber profitieren vom technologischen Vorsprung, den
ihnen schnelle Automobile gegenüber der schlechtaus-
gerüsteten Polizei verschaffen. Zudem stellt der Ab-
transport auch großer Summen kein schwerwiegendes
Problem mehr dar, seit in der Inflation von 1922/23
Papiergeld zum wichtigsten Zahlungsmittel wurde.

SPORT: Die deutsche Fußballnationalmannschaft schlägt die Schweizer Auswahl im Zürcher Hardturmstadion vor 30 000 Zuschauern zwei zu null. Die Tore erzielen Lachner und Hohmann in den letzten zwanzig Minuten.

UNGLÜCK UND VERBRECHEN: Im Südwesten der USA begeht ein Gangsterpärchen blutige Überfälle auf Banken, Juweliere, Tankstellen und Metzgereien. Am 8. November suchen Clyde Barrow und Bonnie Parker das Lohnbüro der McMurray Ölraffinerie in Arp, Texas, heim. Am 21. November entkommen sie nach einer Schießerei mit dem Sheriff und seinen Deputies bei Grand Prairie in einem gestohlenen Ford V 8. Bonnie ist dreiundzwanzig, Clyde vierundzwanzig Jahre alt.

Und hier eine Meldung aus Stuttgart: »Die große und herzliche Anteilnahme weiter Kreise der Bevölkerung an dem furchtbaren Geschick, das die Familie des Ermordeten getroffen hat, gab sich in der Abschiedsstunde am Grab Julius Feuersteins noch einmal in ergreifender Weise kund. Einige tausend Trauergäste umgaben die letzte Ruhestätte. Der Sarg war im Leichenhaus aufgebahrt, vor dem Mitglieder des Turnvereins Gablenberg die Ehrenwache hielten. Dann trugen die Kameraden vom Turnverein den Sarg mit der sterblichen Hülle ihres geliebten Mitgliedes durch den Hauptweg des Friedhofs zwischen den von Turnern gebildeten Ehrenreihen hindurch zum Grabe. Dem Sarge vorangetragen wurden die umflorten Fahnen der Arbeitsfront, und den S.A.-Kameraden folgten die Gablenberger Turner mit ihrer schwarz umhüllten Vereinsfahne, und ihnen schlossen sich viele Kranzträger an.«

Der Ozeandampfer verschwindet aus dem Hafenbecken, Kurt Sandweg und Waldemar Velte gehen auf direktem Weg zurück zum Hauptbahnhof. Noch am selben Abend fahren sie mit dem Nachtzug über Brüssel nach Paris.

5. *Kapitel*

An der Gare de l'Est gibt es nur Ankömmlinge, niemand fährt weg. Tag für Tag fahren Dutzende von Zügen aus dem Osten herbei, und Hunderte von Menschen ziehen durch den Dampf der Loks dem Ausgang entgegen. Manche haben schwere Überseekoffer mitgebracht und lassen sie tragen, manche stoßen auf ausgedienten Kinderwagen ganze Türme von Taschen und Koffern über den Bahnsteig, und manche haben überhaupt kein Gepäck. Sandweg und Velte tragen ihre Lederköfferchen mit sich. Unablässig ergießt sich der Strom hinein in die große Stadt. Hotels und Pensionen sind längst alle ausgebucht, noch für die windigsten Dachkammern werden absurd hohe Preise bezahlt; wer kein Glück und kein Geld hat, landet nach wenigen Stunden oder Tagen unausweichlich in den Bidonvilles am Rand der Stadt. Manche wollen arbeiten und ihre Kinder aufziehen, manche Komitees und Zeitschriften gründen, manche einfach nur überleben, und viele werden sich irgendwann in ihrem Zimmer aufs Bett legen und ein Röhrchen Pillen schlucken, und ihr letzter Anblick von dieser Welt wird die speckige Tapete an der gegenüberliegenden Wand sein oder das regennasse Zinndach jenseits des Hofs.

★

»Was mein Bruder und Kurt dort gesucht haben? Gar nichts. Paris liegt ja nicht am Meer, das war nur eine Station auf dem Weg nach Marseille. Waldemar hat uns eine Ansichtskarte mit dem Eiffelturm vorne drauf geschickt, da hat er sich ziemlich spöttisch über Paris geäußert. Surrealistische Ausstellungen, Boxkämpfe, geschminkte Männer, magere Mädchen in kurzen, perlenbesetzten Röcken – das war nichts für ihn. Ich meine, die beiden konnten auch kein Französisch. Da hat bestimmt niemand gewartet auf zwei arbeitslose Burschen aus Wuppertal. Und mit dem Geld mußten sie sparsam umgehen, weil das bis Indien reichen sollte.«

★

Kurt und Waldemar tun das, was alle Provinzbuben bei ihrem ersten Besuch in Paris tun: Stunde um Stunde durch die Stadt wandern vom Sacré-Cœur zum Eiffelturm und weiter Richtung Jardin du Luxembourg und Quartier Latin, Notre-Dame, Bastille, Friedhof Père-Lachaise und so weiter; bewundernd den Pariser Bürgerstöchtern hinterhergaffen, die sich so urban, elegant und blasiert in den Hüften wiegen können; in die Auslagen der Luxusgeschäfte schauen, die schon gar keine Preise mehr anschreiben; zweimal täglich Steak und Pommes frites essen und sich jedesmal anschnauzen lassen von einem Kellner, dessen Gesichtsfarbe auf ein Magengeschwür hindeutet; nachts die Prostituierten an der Place Pigalle besichtigen und nach ein paar Tagen die Nase voll haben von der Wichtigtuerei dieser Stadt und froh sein, daß man hier nicht leben muß.

★

In jenen Tagen trat der Eiswind des sibirischen Kältehochs seine jährliche Winterreise über das Polarmeer an. Üblicherweise zieht er um diese Jahreszeit hoch im Norden westwärts bis nach Grönland. Im Advent 1933 aber bog er schon in Rußland südwärts ab; eine Kältewelle von bis zu minus zweiunddreißig Grad Celsius rollte über Bulgarien, Ungarn und Jugoslawien nach Frankreich. In Sofia, Budapest und Belgrad erfroren die Obdachlosen zu Dutzenden. In Paris setzte kräftiger Schneefall ein.

Am siebenten Tag steigen Waldemar und Kurt an der Gare de l'Est in den Schnellzug nach Basel und nehmen nebeneinander in einem Abteil dritter Klasse Platz, unzertrennlich wie stets. Ins Gepäcknetz über ihren Köpfen legen sie ihre zwei Reiseköfferchen und, als einziges Andenken an Paris, ein aufziehbares Reisegrammophon. Die Fahrt wird acht Stunden dauern. Von der Landschaft werden sie wenig sehen, denn nach wenigen Kilometern sind die Fenster bedeckt von millimeterdickem Farn aus Frost.

*

»Homosexuell? Da kennen Sie die aber schlecht, besonders den Kurt. Wenn je ein Mann auf Erden die Mädchen gemocht hat, dann der. Und sie ihn auch, übrigens. Ich war selbst ein bißchen verliebt in ihn, wenn er auch für mich viel zu alt war. Vor Waldemar haben sich halt viele Mädchen gefürchtet, weil er so ernst war. Aber daß die beiden ein inniges Verhältnis zueinander hatten, das stimmt schon. In den letzten Monaten haben Kurt und Waldemar ja rund um die Uhr zusammengesteckt. Die haben eigentlich zusammen gewohnt: mal ein paar Tage bei uns, dann ein paar Tage bei Sandwegs, dann wieder bei uns. Unsere Eltern haben das nicht sehr gern gesehen, denn es war ja schon ein bißchen seltsam. Aber was sollte man machen. Und den Kurt mochten wir alle gern. Der war wie ein Familienmitglied.«

6. Kapitel

Meine Großeltern mütterlicherseits sind geboren, aufge-
wachsen und haben ihr ganzes Leben verbracht in einem
Dorf im Basler Hinterland, das sich weitab vom Stadt-
lärm zwischen die letzten sanften Ausläufer des Jura
schmiegt. Die Gegend ist berühmt für ihren Kirschen-
schnaps, und von den Hügeln aus hat man eine schöne
Aussicht nach dem Elsaß im Westen und in den Schwarz-
wald im Norden. Wenn Deutschland und Frankreich
gerade wieder im Krieg miteinander standen, rollte der
Geschützdonner über die Berge, und nachts konnte man
das Wetterleuchten der Mündungsfeuer sehen. Leib-
haftige fremde Soldaten aber waren im Basler Hinterland seit den Napoleonischen Kriegen keine mehr aufgetaucht.

Mein Großvater hieß Ernst Walder und war der älte-
ste Sproß einer wohlhabenden Bauernfamilie, die seit
1848 nebenbei auch das Amt des Dorfschulmeisters
innehatte. Mitte der zwanziger Jahre hatte er seinen
Vater als Schulmeister abgelöst, weil dieser die ewig
gleichbleibende Unwissenheit der Dorfkinder nicht
mehr ertrug. Im Lauf der Jahre hatte Ernst vom Vater
nacheinander auch das Präsidium des Männerturnver-
eins übernommen, den Dirigentenstab des katholischen

Gesangsvereins und den Sitz im Gemeinderat, der der Familie seit Jahrhunderten zustand. Zu der Zeit, da diese Geschichte spielt, war er zudem Mittelfeldspieler beim Fußballclub, Chef des örtlichen Zivilschutzes und ein beliebter Grabredner – darüber hinaus groß, kräftig, gutaussehend, dreiunddreißig Jahre alt, und ledig.

Großmutter war sieben Jahre jünger, drall und rund und blond und einzige Tochter einer ebenso wohlhabenden Bauernfamilie, die seit Menschengedenken nebenbei die Post und das Restaurant »Zur Traube« führte. Marie Stifter konnte Klavier spielen und hatte in Lausanne Französisch gelernt, und früher oder später würde sie eine beträchtliche Menge Bauland erben.

Ernst Walder und Marie Stifter waren im Dorf die attraktivsten Heiratskandidaten ihrer Generation, und zwar mit Abstand – gut gewachsene Sprößlinge zweier alteingesessener Familien, die nicht allzusehr miteinander verschwägert waren und bisher noch keinerlei Skandal heraufbeschworen hatten. Für das ganze Dorf war klar, daß die beiden füreinander bestimmt waren, und ihnen selbst scheint das auch klar gewesen zu sein, wenngleich auf seltsam freudlose, pflichtbewußte Art. Zwar holte er sie Sonntag für Sonntag zum Spaziergang ab, dann gingen sie Arm in Arm über die Felder; zwar tanzte er am Dorffest ausschließlich mit ihr und sie nur mit ihm; zwar machte er regelmäßig seine Aufwartung auf der Post und in der »Traube«; zwar stand sie hinter dem gegnerischen Tor, wenn der Fußballclub ein Spiel hatte, und vor der Abendunterhaltung des Turnvereins schmückte sie mit den anderen Turnerfrauen den Saal; aber das alles geschah auf allzu zweckmäßige Weise und ohne rechte Begeisterung. Beim Spaziergang fanden sie nie zum wiegenden, harmonischen Gleichschritt eines glücklichen Paares, sondern schlugen beständig mit Ellbogen und Hüftknochen aneinander; auf der Tanzbühne benahmen sie sich derart hölzern und ungelenk, daß man Mitleid mit ihnen haben mußte; und wenn sie einander in die Augen schauten, lag in ihren Blicken stets Befremden und Mißtrauen. Trotzdem waren sie ein Paar, und beide Familien warteten mit ruhiger Zuversicht darauf, daß er ihr endlich den längst fälligen Heiratsantrag machte. Wenn er es bisher nicht getan hatte, so wohl nur, weil er soviel um die Ohren hatte. Die beiden waren einfach füreinander bestimmt und Schluß.

Ihr Verhältnis gewann auch dadurch nicht an Leidenschaft, daß Marie zur Weihnachtszeit 1933 eine Stelle als Aushilfsverkäuferin in Basel annahm. Überrascht stellte Ernst fest, daß dieses wohlhabende, verwöhnte Mädchen für kleinen Lohn erhebliche Strapazen auf sich nahm: lang vor dem Morgengrauen aufstehen und zu Fuß ins nächste Dorf laufen; von dort mit dem Bus ins Nachbarstädtchen, dann weiter mit dem Zug nach Basel, eingekeilt zwischen tausend anderen Landbewohnern, um von früh bis spät überheblichen Städtern zu Diensten zu sein; und abends denselben Weg wieder zurück.

Ernst Walder war nicht dumm; er verstand, daß die Arbeit im Globus wahrscheinlich die einzige Gelegenheit in Maries Leben bleiben würde, der Enge des Dorfes, der Familie und der Ehe zu entfliehen. Er ließ sie gewähren. Denn erstens waren sie noch nicht formell miteinander verlobt und hatte er also keinerlei verbindliche Ansprüche anzumelden; zweitens ging ihm ihre

Abwesenheit nicht allzusehr zu Herzen; drittens hatte er nichts dagegen einzuwenden, daß sie vor der Hochzeit noch einige Ersparnisse anlegte; und viertens empfand er keine Eifersucht, vielleicht aus Mangel an Vorstellungskraft.

Immerhin wollten es der Zufall und der Personalchef des Globus, daß Marie der Sportartikelabteilung zugewiesen wurde, und dort war Ernst Stammkunde. Es ist überliefert, daß er am vierzehnten Dezember 1933 einen neuen Nabholz-Trainer kaufte, einen schwarzen mit zwei weißen horizontalen Streifen über der Brust. Nachdem er bezahlt hatte, wickelte Marie den Trainer in braunes Packpapier. Ernst stand daneben, bohrte die Fäuste in die Hosentaschen und schaute ihr zu.

»Heute gibt's übrigens Handballschuhe mit dreißig Prozent Rabatt«, sagte sie.

»Danke höflichst, aber die sind für Handball. Für Fußball kann man die nicht gebrauchen.«

»Das weiß ich. Ich habe nur gedacht, ich sag's dir.«

»In Ordnung.«

»Sammelst du eigentlich unsere Rabattmarken?«

»Nein.«

»Das solltest du. Es lohnt sich.«

»Wenn du meinst.«

»Sicher. Habt ihr am Sonntag ein Spiel?«

»Nein. Jetzt ist Winterpause. Anfang Februar geht's wieder los.«

»Ach so.«

»Ja.«

»Übrigens war heute der Dings hier, der Sohn vom Feuerwehrkommandanten.«

»Aha.«

»Der hat ein Fahrrad gekauft, ein teures. Der ist jetzt ein Herr Doktor.«

»Pff, ein Herr Doktor!« An dem Tag, an dem Ernst Walder sich endgültig für seine sichere Lehrerstelle und gegen ein Universitätsstudium entschieden hatte, war in ihm eine tiefe Abneigung gegen Akademiker erwacht. »Was für ein Doktor?«

»Na, ein Herr Doktor halt.«

»Es gibt verschiedene Doktoren, Marie. Es gibt Doktoren der Naturwissenschaften, die befassen sich mit ihrem Handwerk. Dann gibt es Doktoren der Jurisprudenz, die befassen sich mit ihresgleichen. Und dann gibt es Doctores der Philologie, die befassen sich mit blödem Gequatsche.«

»Jaja«, seufzte Marie. »Das hast du schon oft gesagt.«

»Also dann, grüß dich.«

»Grüß dich.«

»Wollen wir zusammen heimfahren?«

»Wenn du magst.«

»Wann soll ich dich abholen?«

»Um sieben. Auf dem Marktplatz. Bei der Tramhaltestelle.«

★

Zur gleichen Zeit, in der Schallplattenabteilung:

»Fräulein Dorly, da sind Sie ja!«

»Guten Tag, Fräulein Dorly.«

»Guten Tag, die Herren.«

Genau vierundzwanzig Stunden sind vergangen seit der ersten Begegnung in der Schallplattenabteilung des

Globus. Dorly gönnt dem Finnen und dem tapsigen Österreicher nur einen kurzen Blick. Haben die ihren Aufenthalt in Basel also tatsächlich um einen Tag verlängert. Heute will Dorly nicht soviel Zeit haben. Die beiden haben sich gestern schon ein bißchen viel herausgenommen mit der Tanzerei und ihrem Gerede von Geburtstagen und Vornamen und Sternzeichen. Sie ist heute sehr beschäftigt mit dem Einräumen der Wareneingänge. Das muß alles erledigt sein, je eher, desto besser, die Adventszeit ist eine strenge Zeit. Die bestellte Schallplatte sucht sie ihnen selbstverständlich heraus, da ist sie schon, bitte. Aber ja, wenn die Herren es durchaus wünschen, kann man die Platte auch gleich hier im Geschäft ein erstes Mal abspielen, allerdings ohne Haftung für irgendwelche Schäden. Dorly legt die Nadel auf die Rille, es knistert und knackt, dann legen fortissimo die Streicher los, begleitet von einem Flügel. Nach drei Takten spielt das Orchester nur noch piano, und der Gesang setzt ein.

Ich hab das Leben mir mit angesehen, so wie es war,
Ich fand es immer wieder bunt und schön, so wie es war
Ich ließ mich oft und gern berauschen
Doch heut möcht ich mit keinem tauschen, denn
Seit ich Dir einmal tief ins Herz gesehn, fühl ich ganz klar

In Deine Hände leg ich mein ganzes Glück
S' ist nur ein kleines Stück, behüt es fein
In Deine Hände, da leg ich Freud und Leid
Zukunft Vergangenheit, mein ganzes Sein

48

Und meint's das Schicksal gut
Dann bin ich frohgemut
Und meint's das Schicksal schlecht
Denk ich erst recht

In Deinen Händen ruh ich von allem aus
In Deinen Händen bin ich ganz zuhaus

Und meint's das Schicksal gut
Dann bin ich frohgemut
Und meint's das Schicksal schlecht
Denk ich erst recht

In Deinen Händen ruh ich von allem aus
In Deinen Händen bin ich ganz zuhaus.

Dorly betrachtet den kleinen Finnen, der mit hängenden Armen und halbgeschlossenen Augen diesem sanften, wehmütig-fröhlichen Tango lauscht. Das also ist seine Musik. Das hätte Dorly nicht gedacht. »Nachdem wir ›In Deine Hände‹ abgespielt hatten, faßte ich Zutrauen zu den beiden, besonders zu Velte. Er schien mir jetzt nicht mehr so düster, sondern im Gegenteil zartfühlend und schutzlos, vielleicht auch etwas verstört.«

Dorly will jetzt nicht mehr, daß die beiden möglichst schnell weggehen. Sie legt eine andere Platte von Willi Kollo auf, dann noch eine und immer noch eine: »Warum hast Du so traurige Augen?«, »Jetzt geht's der Dolly gut«, »Mach mit mir eine Mondscheinfahrt«, »Ich kenn' zwei süße Schwestern«, »Lieber Leierkastenmann«.

49

Viel zu schnell geht die Mittagszeit vorüber. Die Schallplattenabteilung füllt sich mit Kundschaft, Dorly hat keine Zeit mehr. Die Burschen müssen jetzt gehen. »Beim Abschied bestellte Velte eine zweite Schallplatte, die wir aber auch nicht vorrätig hatten; ich glaube, es war dies ›Grüß mir mein Hawaii‹, ebenfalls von Willi Kollo. Wir verabredeten wiederum, daß er sie am folgenden Tag abholen könne.«

Es kommt hin und wieder vor, daß junge Männer auffällig lange bei ihr in der Schallplattenabteilung bleiben. Dorly weiß, was denen an ihr gefällt: ihre geraden Schultern, die schmale Taille und die Tatsache, daß sie nicht den lieben langen Tag blöde hinter dem Tresen hervorlächelt. Vor ein paar Jahren noch hat Dorly zwei oder drei Mal Einladungen angenommen zu einem Spaziergang oder einem Kaffee. Aber jetzt nicht mehr. Es ist doch immer dasselbe und hat nichts zu bedeuten, und wenn es doch einmal etwas zu bedeuten hätte, so würde Dorly das nicht wollen. Die zwei Jahre Ehe mit Anton reichen ihr vollauf. Dieser kleine Deutsche aber ist anders. Der sagt, was er will, nicht mehr und nicht weniger.

»Bitte, Fräulein Dorly, ich möchte mich gern länger mit Ihnen unterhalten. Wollen Sie sich heute abend mit uns treffen?«

»Mit Ihnen beiden?« fragt Dorly belustigt. Die zwei Burschen scheinen unzertrennlich zu sein.

»Ja.«

»Warum nicht. Nach Ladenschluß, um sieben Uhr. Auf dem Marktplatz, bei der Litfaßsäule.«

»Wir werden da sein.«

»Ich werde vielleicht eine Freundin mitbringen, wenn's recht ist. Ich weiß noch nicht, ob sie mitkommt, ich werde fragen.«

Die Freundin ist Aushilfsverkäuferin in der Sportartikelabteilung. Freundin – das ist vielleicht ein bißchen übertrieben. Aber von allen Verkäuferinnen gefällt ihr dieses polternde Landmädchen bei weitem am besten. Die ist nicht so langweilig wie diese Stadtbasler Zimtzicken, die nichts als Seidenstrümpfe, Liebesschwüre und Brautkleider im Kopf haben.

Zwei Stunden nach Einbruch der Nacht ist Ladenschluß. Dorly Schupp und Marie Stifter treten hinaus auf den weihnachtlich glitzernden Marktplatz. Männer und Frauen tragen Geschenkpakete in allen Größen heimwärts. Der Sankt Nikolaus vom Kaufhaus Rheinbrücke ist mit seinem Doppeldecker weggeflogen, die Kinder sind längst zu Hause. Fräulein Freundlich wärmt ihre klammen Glieder im nächsten Kaffeehaus, und ihr gegenüber sitzt der Reklamechef. Oder der Abteilungsleiter.

★

An der Straßenbahnstation steht Ernst Walder. Er beobachtet, wie seine Marie am Arm einer fremden Frau auf zwei unbekannte Männer zugeht, die bei der Litfaßsäule stehen. Gutangezogene junge Männer in Knickerbockers. Richtige Lackaffen. Ernst wundert sich: Hat Marie ihn denn nicht gesehen, hat sie ihre Verabredung vergessen? Soll er ihr winken, ihr hinterherlaufen? Nein. Er sieht es an ihrem steifen Hals, daß sie ihn weder vergessen noch übersehen hat und daß es sie viel Kraft kostet, nicht zu ihm hinzuschauen. Ernst wartet ab, was weiter geschieht.

★

»Hallo, Fräulein Dorly! Schön, daß Sie gekommen sind, noch dazu in Begleitung.« Dorly schüttelt beiden die Hand, dann stellt sie ihnen Marie Stifter vor. Wieder spricht nur der Große, der Kleine mit den grünen Augen steht düster daneben. Der ist Marie unheimlich. Sie wundert sich, daß Dorly Schupp es auf den abgesehen hat. Ein bißchen bereut sie schon, daß sie mitgegangen ist, obwohl der große Dünne ganz nett zu sein scheint. Und morgen werden die beiden ja schon weit weg sein, hat Dorly gesagt, in Spanien, oder noch weiter fort. Da kann nicht viel passieren.

»Dürfen wir Sie zu einem Kaffee einladen?«

»Möchten Sie etwas essen?«

»Hätten Sie Lust, ins Kino zu gehen?«

»Ins Theater?«

»Zum Tanz?«

»Auf den Rummelplatz?«

»Ein Konzert vielleicht?«

»Wollen wir in unserem Hotelzimmer Schallplatten hören?«

Das gefällt Marie Stifter. Sie würde am liebsten gleich alle Einladungen annehmen, und zwar gleichzeitig oder in egal welcher Reihenfolge. Aber Dorly lehnt alles ab.

»Ich wollte von Anfang an nichts mit den beiden Deutschen unternehmen, was auf ein sogenanntes Verhältnis hätte hinauslaufen können«, wird Dorly im Verhör sagen. »Ich hatte keinerlei Absichten und wünschte mir, daß es auch bei ihnen so bleibe. Zudem wußte ich ja, daß sie am nächsten oder übernächsten Tag wieder abreisen würden.«

Also machen die vier sich auf zu einem unverfänglichen Spaziergang. Kurt und Marie gehen voraus, Dorly und Waldemar ein paar Schritte hinterher.

★

Ernst Walder bleibt an der Tramhaltestelle stehen und schaut ihnen hinterher, bis sie in der Eisengasse verschwunden sind. Er weiß, daß es nichts gibt, was er jetzt anständigerweise unternehmen könnte. Schließlich ist er mit Marie offiziell weder verlobt noch verheiratet. Daran ist niemand anders schuld als er selber, und deshalb hat er auch kein Recht, ihr jetzt hinterherzulaufen.

★

Seit Tagen wütet der sibirische Wind in Basel; Brunnen und Bäche frieren zu, über den Rhein schießen waagerecht Milliarden von nadelspitzen Eiskristallen. In der Eisengasse sind Dorly, Marie, Kurt und Waldemar noch einigermaßen geschützt, aber auf der Mittleren Brücke schlägt ihnen der Nordwind ins Gesicht, zerrt an Mützen und Mänteln, schlägt gegen Rock und Hosen und zerzaust die Frisuren, und die Eiskristalle dringen in Ohren, Nasen und Münder.

»Kurt Sandweg war ein fröhlicher Geselle, ich nannte ihn Bajazzo. Am ersten Abend zum Beispiel ist er mitten auf der Brücke drei oder vier Schritte vorausgelaufen, hat sich zu uns umgedreht und seinen Mantel weit aufgerissen. Dann hat er Waldemar Velte, Marie Stifter und

53

mich aufgefordert, unter seine Fittiche zu schlüpfen. Da er fast zwei Meter groß war, hat uns sein Mantel tatsächlich bestens vor dem Wind geschützt. Wir sind dann alle vier rückwärts gegen den Wind über die Brücke marschiert – Marie und ich zu Sandwegs Linken, Waldemar Velte an seiner Rechten.«

In Kleinbasel am nördlichen Rheinufer bläst der Wind weniger stark als auf der Brücke. Es wird ein langer Spaziergang. Sie gehen nicht über den Uferweg, sondern auf den zwanzig Meter breiten Kiesbänken, die sich in diesem Winter gebildet haben, weil der Rhein ungewöhnlich wenig Wasser führt. Es ist, als sei das Wasser ausgewandert. Im Flußbett liegen überkrustete Toilettenschüsseln, verrostete Mordwaffen und algenbewachsene Fahrräder, und die Kieselsteine sind glitschig und aneinandergefroren und duften nach Meer. Beidseits des Flusses ist das Ufer befestigt mit Mauern aus gewaltigen Kalksteinquadern, die in der Nacht weiß leuchten.

Dorly und Waldemar gehen nebeneinanderher wie zwei Kutschpferde. Hin und wieder werfen sie einander kurze Blicke zu. »Velte gab mir an, sie befänden sich auf der Durchreise. Sein Vater sei Bauunternehmer, sie müßten nach Spanien reisen wegen bevorstehender baulicher Unternehmungen. Hier in Basel hätten sie ihre Reise unterbrochen, weil sie noch auf einen Bericht warten müßten, der alltäglich eintreffen könne. Mir genügte diese Auskunft, weiter habe ich nicht gefragt. Daß beim ersten Treffen im Globus noch von einer sofortigen Weiterreise die Rede gewesen war, hatte ich vergessen.«

Kurt nimmt Marie bei der Hand und läuft mit ihr voraus. Er führt sie über einen Landesteg auf ein vertäutes

Ruderboot und läßt es schaukeln, bis Wasser über die Bootswände schwappt; er bringt sie mit einem Schubser aus dem Gleichgewicht und fängt sie auf, bevor sie ins Wasser fällt, und dann hält er sie eine Sekunde zu lange im Arm; er ahmt den Lockruf der Enten nach, winkt zu Dorly und Waldemar hinüber und kehrt zurück ans Ufer, läßt flache Kiesel übers Wasser tanzen und versucht das Marie beizubringen; er steigt hinauf auf die Dreirosenbrücke, die gerade im Bau ist und deren Stahlträger in der Mitte des Flusses abrupt abbrechen, und immer fliegt Marie neben ihm her; dann klettern die beiden auf den Derik-Kran, der auf dem Brückenstumpf steht, und nur mit Mühe kann sie ihn davon abhalten, auch noch dessen Auslegearm zu besteigen.

Marie weiß nicht, wie ihr geschieht. So einen Spaziergang hat sie noch nie erlebt. Dieser Deutsche führt sie ganz selbstverständlich durch die Nacht, und gleichzeitig scheint er immer im voraus zu wissen, ob sie nach links oder rechts abbiegen oder stehenbleiben will; wenn sie daran denkt, ihr Taschentuch hervorzunehmen, so reicht er ihr schon eines, und zwar ein sauberes, und wenn sie auf den glitschigen Kieseln einen Mißtritt tut, ist er blitzschnell da, um sie zu stützen. Und reden kann der. Gelegentlich setzen sie sich auf eine vereiste Bank, um zu verschnaufen. Dann holen Waldemar und Dorly sie ein und setzen sich zu ihnen. Es ist kalt und spät, der Wind beißt, die Füße schmerzen. Die Fenster der Bürgerhäuser erlöschen eins ums andere.

»Fräulein Dorly«, fragt Kurt, »langweilen Sie sich nicht zu sehr?«

»Wir unterhalten uns gut, keine Sorge.«

»Erzählt er Ihnen wenigstens etwas? Sag, erzählst du Fräulein Dorly etwas? Oder gaffst du einfach die ganze Zeit ins schwarze Wasser hinein?« Kurt legt den Arm um Waldemars Schultern und drückt ihn kräftig an sich. »Machen Sie es wie ich, Fräulein Dorly: mit roher Gewalt. Sonst ist da nichts zu machen. Quetschen Sie ihn über irgend etwas aus, zum Beispiel über die Wuppertaler Schwebebahn. Da weiß er Bescheid. Gehen wir weiter, Fräulein Marie? Soll ich Sie dann zum Bahnhof begleiten?«

Kurt Sandweg nimmt Marie an der Hand und verschwindet mit ihr in die Nacht hinaus. Dorly und Waldemar bleiben allein auf der Bank zurück. Lang ist es still.

Dann flüstert Dorly: »Gibt es in Wuppertal eine Schwebebahn?«

Waldemar scharrt mit den Füßen im Kies. »Die ist weltberühmt, zumindest in Wuppertal. Ein horizontaler Eiffelturm sozusagen. Als kleiner Junge war ich schwer fasziniert. Die Schwebebahn war meine persönliche Modelleisenbahn. Ich kannte alle technischen Daten. Die Fahrpläne. Die Entstehungsgeschichte. Alles.«

»Und jetzt?«

Waldemar zuckt mit den Schultern. »Jetzt ist es einfach eine Bahn. Die fährt vom einen Ende Wuppertals ans andere und wieder zurück. Hin und her, hin und her. Jetzt mag ich lieber Zeppeline. Wenn ich einen Zeppelin hätte, würde ich mit Ihnen nach Spanien fliegen, Fräulein Dorly. Vorerst.«

★

»Waldemar Velte berichtete mir in schwärmerischen Worten erst von Wuppertal und dann von Spanien, das eine Republik sei; daß dort der Ackerboden unter die armen Bauern verteilt werde und daß die Frauen Stimmrecht hätten. Ich entgegnete ihm darauf, er solle mir die Schweiz in Frieden lassen. Ich hatte oft das Gefühl, daß er gleichzeitig an Fernweh und Heimweh litt.«

★

Dann schlägt die Uhr vom Münster Mitternacht. Dorly muß nach Hause, die Mutter wartet. Die sitzt Stunde um Stunde in ihren schwarzen Witwenkleidern kerzengerade auf dem Sofa und häkelt und schaut zur Wanduhr mit rot gerändelten Geieraugen, und keinesfalls will sie ins Bett, bevor das Mädchen in den Federn ist. Das ist immer so. Dorly hat alles Reden längst aufgegeben.

»Velte begleitete mich über die Wettsteinbrücke und durch die Rittergasse zum Globus, wo wir Abschied nahmen. Er wie auch sein Freund machten mir einen sehr guten Eindruck, sie waren höflich, gut gekleidet, besaßen gute Umgangsformen und benahmen sich nicht aufdringlich, in keinem Fall frech. Bei mir handelte es sich nicht um ein ernstes Verhältnis. Ich fand Sympathien an beiden, besonders aber an Velte. Er sagte mir, er müsse vorerst noch große Reisen machen und sehen, wie sich seine Sache entwickle. Er komme dann später wieder und dann wolle man sehen. Es handelte sich bei uns wohl an jenem Abend schon, wie man so sagt, um eine platonische Liebe. Ich hatte den Eindruck, daß Marie Gefallen an Kurt Sandweg gefunden hatte, jedoch hat sie mir gegenüber nichts Derartiges verlauten lassen.«

Es ist fast ein Uhr, als Dorly leise die Wohnungstür aufstößt. Tatsächlich sitzt die Mutter auf dem Sofa und häkelt an einer Spitzendecke. Sie schaut nicht auf, als die Tochter eintritt. Dorly schlüpft aus den Schuhen, die innen durchnäßt sind und außen gefroren, und massiert sich die Füße, die ihr schon längst nicht mehr weh tun; der Schmerz wird erst in ein paar Minuten zurückkehren und alles nachholen, wenn die Wärme in die Knochen dringt.

»Ich erzählte der Mutter, daß ich den Abend verbracht hätte mit zwei jungen Herren, die sich nur mit Vornamen vorgestellt hätten, da sie ihre Familiennamen aus politischen Gründen geheimhalten müßten. Da äußerte sie den Verdacht, daß es sich um Mädchenhändler handle. Auf keinen Fall sollte ich die beiden je nach Hause bringen. Ich erwiderte, daß sich das erübrige, da sie bald abreisen würden.«

7. Kapitel

Weihnachten naht, es wird immer noch kälter. Auf dem Rhein treiben dicke Eisschollen, darauf sitzen Möwen und lassen sich nordwärts tragen. Aus allen Schornsteinen steigt schwarzer Rauch, und in vielen Kellern werden die Kohlevorräte lang vor dem Frühling zur Neige gehen. Wer Geld hat, bestellt jetzt Kohle nach, und wer auch danach noch Geld hat, macht hastig die letzten Weihnachtseinkäufe.

Am Morgen des fünfzehnten Dezember holen Sandweg und Velte »Grüß mir mein Hawaii« im Globus ab, bestellen aber gleich eine dritte Schallplatte für den folgenden Tag. Von einer Abreise ist keine Rede mehr. Abends warten sie auf dem Marktplatz bei der Litfaßsäule auf Dorly und Marie. Kurt hat die National-Zeitung aufgeschlagen und studiert das Kinoprogramm.

Das Cinema Alhambra in der Steinenvorstadt zeigt »Madame Butterfly« mit Sylvia Sidney in der Hauptrolle und Cary Grant als Lieutenant Pinkerton. »In bezaubernder Bildfolge zieht das Leben, Lieben und Sterben der armen kleinen Geisha vorüber, die sich an ihrer Sehnsucht verzehrt und das grausame Harakiri nach der Sitte der Väter als letzten Ausweg wählt.«

Das Cinema Forum bei der Johanniterbrücke zeigt

»die sprühende und bezaubernde Tonfilm-Komödie ›Was Frauen träumen‹ mit Gustav Fröhlich und Nora Gregor. Die phantastischen Schicksale einer verführerisch schönen Frau – einer Frau, von der ein betörender flackernder Reiz ausgeht, die nur in großem Stil arbeitet. Immer dann, wenn sie dem Zugriff der Polizei zu erliegen scheint, taucht aus dem Dunkel ein geheimnisvoller Mann auf, der sie rettet. Und die Polizei tappt im dunkeln wie das Publikum – bis das Schicksal die Schleier brutal zerreißt.«

Im Morgarten-Tonfilm-Theater läuft »Frauengefängnis« mit Sylvia Sidney und Gene Raymond: »Das schönste Liebespaar des Films in einem gewaltigen Filmwerk. Die Geschichte zweier Liebender, die, unschuldig zum Tode verurteilt, sich mutig den Weg ins Leben und ins Paradies der Liebe zurückerkämpfen. Eintritt 55 Rappen.«

Weiter läuft »Die Frau im U-Boot« mit Gary Cooper, »Das Hohelied« mit Marlene Dietrich und »King Kong« mit Fay Wray.

Marie wäre nicht abgeneigt, besonders Madame Butterfly würde sie interessieren. »Aber Dorly wollte einfach nicht ins Kino – was sollten wir machen?« Sie schlagen die Mantelkragen hoch und gehen wiederum am Rhein spazieren.

★

Weiter flußabwärts, in der großen Biegung bei der Lorelei, haben sich die Eisschollen gestaut; mit gewaltigem Getöse krachen sie ineinander, zersplittern und überwerfen und türmen sich zu einer bizarren Arktislandschaft, die sich von einem Ufer zum anderen hinzieht, zehn Kilometer weit. Der Rhein verschwindet unter tausend Tonnen knirschenden Eises. Junge Burschen machen es sich zur Mutprobe, über die tückischen Schollen vom einen Ufer zum anderen zu laufen. Aber so weit gehen Dorly, Marie, Waldemar und Kurt nicht. Am Rheinhafen liegen die Schleppkähne fest eingeschlossen im Eis. Sie werden ihre Reise nach Rotterdam erst wieder aufnehmen, wenn Tauwetter einsetzt. Gelangweilt lungern die Matrosen auf der Kaistraße und sehen den Schlittschuhläufern nach, die das gefrorene Flußufer entlang aus der Stadt herangleiten, das Schwimmdock umkreisen, hinter dem Kohlelager verschwinden und bei der Verladebrücke wieder auftauchen.

»An jenem Abend brachte Kurt Sandweg Schlittschuhkufen mit. Es waren das sogenannte Faßtuugeli, die man an den Schuhen festschrauben kann und die er am Hafenbecken ausprobieren wollte. Sandweg hatte auch für Marie Stifter ein Paar mitgebracht, aber diese wollte sich darauf partout nicht einlassen, auch hätte man die Kufen an Damenschuhen schwerlich befestigen können. Es war das für Sandweg das erste Mal in seinem Leben, daß er auf Schlittschuhen stand, und er hat daraus eine richtige Clown-Nummer gemacht. Hin und wieder gelang ihm eine schnurgerade Fahrt über mehrere Meter, dann stand er steif wie ein Besen auf den Kufen und jauchzte. Aber jedesmal geriet er umgehend ins Schlingern und brach in den Fußgelenken ein, die Knie schlugen zusammen und die ledernen Innenriste der Schlittschuhe schliffen übers Eis. Dann fiel er hin, lachte und stand sofort wieder auf. Wir haben sehr über ihn gelacht. Ich erinnere mich, daß ich zu Velte sagte, er und Sandweg seien schon ein komisches Duo – der eine ein Bajazzo, der andere ein richtiger Totengräber. Darüber ist Velte sehr erschrocken, und er frug mich, wie ich das meine. Ich konnte ihm keine rechte Antwort geben.«

8. Kapitel

An zwei aufeinanderfolgenden Abenden hat Marie Stifter Kurt Sandweg, Waldemar Velte und Dorly Schupp
auf Spaziergänge begleitet, und beide Male ist sie zum
letzten Zug gerannt, der um dreiundzwanzig Uhr vierzig auf Gleis sieben fuhr. Am zweiten Abend brach ihr in
der Bahnhofshalle der Absatz des linken Schuhs. Sie zog
den Schuh hüpfend aus, riß den Absatz ab, steckte ihn in
die Handtasche und schlüpfte wieder in den Schuh,
hinkte durch die Unterführung, dann die Treppe hoch
auf den Bahnsteig. Das eiserne Dach der Bahnhofshalle
war weit und schwarz, das Licht bleich und kalt. Die
blecherne Lautsprecherstimme des Bahnhofsvorstehers
hallte durch die Weite der Halle. Der Bahnsteig war leer.
Der Schaffner hatte schon alle Waggontüren geschlossen
und war eingestiegen. Aber zuvorderst bei der Treppe,
auf der Marie aus der Unterführung auftauchte, war
noch eine Tür offen. Dort stand Ernst Walder, den einen
Fuß auf dem Bahnsteig, den anderen auf dem Trittbrett.
Er half ihr beim Einsteigen, und als sie in einem freien
Abteil ins Polster sanken, fuhr der Zug los.

»Das war knapp!«

»Was ist mit deinem Schuh?«

»Absatz abgebrochen.«

»Zeig her.«

Marie reichte ihm den Schuh und den Absatz. Er biß sich auf die Lippen, betrachtete beide Teile eingehend und hielt sie aneinander. Fünf verbogene Nägel ragten aus der Sohle an der Stelle, an der der Absatz befestigt gewesen war.

»Du bist ja ganz außer Atem. Weit gerannt?«

»Den ganzen Weg die Freie Straße hoch, durch die Elisabethenstraße bis hierher.«

»Das ist weit.« Ernst nahm den ersten der fünf Nägel zwischen Daumen und Zeigefinger und versuchte ihn geradezubiegen.

»Ja. Ziemlich weit.«

»Du hast gestern schon rennen müssen«, sagte er, ohne vom Schuh aufzublicken. »Und zwar in Begleitung.« Der erste Nagel war wieder gerade, jetzt nahm er sich den zweiten vor.

»Das ist doch … du hast mich verfolgt?«

»Und heute warst du auch in Begleitung. Hättest ihn nicht vor dem Bahnhof wegzuschicken brauchen.«

»Du hast mich verfolgt?«

»Ich habe dich gesehen, und du hast mich gesehen.«

»Du hast mich verfolgt!«

»Wir waren verabredet, und du hast mich stehenlassen.« Auch der zweite Nagel war wieder gerade, Ernst packte den dritten.

Marie schüttelte den Kopf. »Verabredet waren wir gestern, aber nicht heute.«

»Wir waren verabredet, aber du hast es vorgezogen, mit zwei Männern spazierenzugehen.«

»Du hast mich verfolgt!«

»Du bist mit zwei Männern spazierengegangen. Ihr seid in Boote geklettert und habt euch umarmt. Ihr habt Steine geworfen und seid auf Baustellen umhergeklettert und Schlittschuh gefahren – ahh, Gottverdammich, Gottverdammich, Gottverdammich!« Ernst hatte sich versehentlich den vierten Nagel unter den Daumennagel gerammt. Es blutete sofort ziemlich stark.

»Hör auf zu fluchen!« Marie nahm ein weißes Taschentuch aus ihrer Handtasche und umwickelte seinen Daumen. »Ich kann diese Flucherei nicht ausstehen!« Auf dem Dorf war es guter Brauch, daß Männer fluchten und Frauen dagegen protestierten. Zumindest darin ergänzten sich die Geschlechter aufs schönste.

»Wie das blutet!«

»In Boote seid ihr geklettert, und umarmt habt ihr euch. Gottverdammich, Gottverdammich. Heute und gestern.«

»Hör auf zu fluchen. Du hast mich verfolgt! Halt den Daumen in die Höhe, dann blutet's weniger. Das hätte ich nicht von dir gedacht, daß du mir nachspionierst!«

»Ich auch nicht. Ich hätte auch nicht gedacht, daß es nötig ist. In Boote seid ihr geklettert, und mit Steinen um euch geworfen habt ihr!« Ernst nahm den Schuh in die rechte, verletzte Hand, und mit der linken nahm er den fünften Nagel in Angriff.

»Das ist nicht recht von dir, daß du mir nachspionierst! Paß auf, daß du mir nicht den Schuh voll Blut machst.«

»Ich paß' schon auf. Tu nicht so überrascht. Gottverdammich. Du hast mich gesehen.«

»Was? Jetzt hör auf zu fluchen. Ich hab dich nicht gesehen. Nimmt mich nur wunder, wieso du ständig den

Namen des Herrn im Munde führst. Wo du doch gar nicht an ihn glaubst.«

»Wieso, ich fluche doch nur.« Ernst Walder hatte sich als junger Mann einen Atheismus angeeignet, den er an manchen Tagen gern herzeigte. Ansonsten war er genauso katholisch wie Marie und alle anderen im Dorf.

»Du hast mich gesehen«, beharrte er. »Unten bei den Booten, als ich hinter dem Baum stand. Und am Hafen, bei der Güterlok, Gottverdammich, Gottverdammich. Ich habe gesehen, daß du mich gesehen hast.«

»Hinter dem Baum? Bei der Güterlok? Das ist jetzt aber wirklich nicht wahr! Ich habe dich nicht gesehen!«

»Ich will dir noch etwas sagen: Du hast ihn nur umarmt, weil du mich gesehen hast. Vielleicht wärst du noch nicht mal mit auf den Spaziergang gegangen, wenn du mich nicht gesehen hättest – wenn ich es nicht hätte beobachten können.«

»Das ist nicht wahr! Das nimmst du sofort zurück!« Bisher hatte Marie ihre Empörung nur gespielt, denn sie wußte, daß er genaugenommen im Recht war. Aber hier tat er ihr unrecht, jetzt war sie wirklich beleidigt.

»So, fertig.« Ernst hatte die fünf Nägel in die Nagellöcher geschoben und den Absatz fest gegen die Sohle gedrückt. »Ewig wird das nicht halten, aber für heute geht's.«

»Unten am Fluß habe ich dich nicht gesehen, und am Hafen auch nicht! Daß du mich verfolgst und ausspionierst! Das hätte ich wirklich nicht …«

»Sei still. Ich will nur eines von dir wissen: ob du vorhast, weiterhin am Rhein spazierenzugehen.«

Marie schwieg.

»Du kannst es haben, wie du willst.«

Marie schwieg.

»Entweder du gehst weiter am Rhein spazieren, oder du gehst nicht mehr am Rhein spazieren.«

»Daß du mich ausspionierst! Gib jetzt den Schuh her, ich mach mir noch den Strumpf kaputt.«

»Du kannst es haben, wie du willst. Entweder du gehst weiter am Rhein spazieren, oder du gehst nicht.«

»Da ist ja Blut im Schuh!«

Undsoweiter.

Nach einer halben Stunde hielt der Zug endlich im Städtchen, und Marie und Ernst stiegen aus. Sie hatten einander alles gesagt und alles so oft wiederholt, daß beiden übel geworden wäre, wenn sie irgend etwas vom Gesagten noch einmal hätten hören oder sagen müssen. Und etwas Neues fiel ihnen nicht ein. Darum schwiegen sie jetzt, und das konnte lange dauern. Im Dorf war es schon vorgekommen, daß zwei Schulbuben einander auf diese Weise anzuschweigen begannen und daß sie tatsächlich kein einziges Wort mehr zueinander sagten, bis der erste runzlig, grau und tot im Sarg lag.

Der letzte Bus war längst abgefahren. Marie und Ernst stapften schweigend und grollend durch Schnee und Eis hinaus in die Nacht, dem fünf Kilometer entfernten Dorf entgegen – er zehn bis fünfzehn Schritte voraus, sie hinterherhinkend und in beständiger Sorge um ihren linken Schuh. Laut Großvaters Aussage hat der Schuh bis nach Hause gehalten; dem widersprach Großmutter, wie sie grundsätzlich allen seinen Äußerungen widersprach. Sie beharrte darauf, daß sie die letzten zwei Kilometer sogar linksseitig barfuß habe zurücklegen müssen, was ihren Strumpf, die Zehennägel und überhaupt den ganzen Fuß ruiniert habe. Und außerdem habe sie am nächsten Tag mit einer schweren Grippe und vierzig Grad Fieber im Bett gelegen.

9. Kapitel

Ob Marie Stifter in jener Nacht tatsächlich an Grippe erkrankte oder ob sie diese nur vorschützte, um der anstehenden Wahl zwischen zwei großen und gutaussehenden, ansonsten aber durchaus gegensätzlichen Männern auszuweichen – das weiß niemand. Jedenfalls schloß sie sich für die folgenden Tage in ihrer Kammer ein und blieb im Bett. Die Tür öffnete sie niemandem außer ihrer Mutter, die ihr dreimal täglich Tee und Hafergrütze brachte und den Nachttopf leerte. Alle Besucher ließ sie abweisen – insbesondere Ernst Walder, der Tag für Tag vergeblich seine Aufwartung machte, und zwar mit stetig steigender Wut. Er fühlte sich im Recht und brannte darauf, daß Marie endlich ein Minimum an Zerknirschung an den Tag lege, worauf er die Angelegenheit großmütig würde vergessen können. Statt dessen strafte sie ihn für seine Unerbittlichkeit, indem sie ihm die kalte Schulter zeigte. Ernst Walder war grimmig entschlossen, diesen Kampf zu gewinnen. Am fünften Tag brachte er dreizehn langstielige rote Rosen mit. Er schnaubte im Takt seiner Schritte, den Blumenstrauß stieß er vor sich her wie einen Dolch. Die Postmeisterin saß auf der Sitzbank neben der Haustür in der fahlen Wintersonne, streckte die Füße in den Vorgarten und hatte die Hände über den runden

Bauch gefaltet. Neben ihr auf der Bank lag Hasso, der Appenzeller Sennenhund, und schlief. Es war Mittag, wie immer wenn Ernst seine Aufwartung machte; mittags hielt der Postmeister sein Nickerchen. Wenn es sich irgend einrichten ließ, ging Ernst einer Begegnung mit dem künftigen Schwiegervater aus dem Weg; denn Postmeister Stifter litt an Jähzorn, der sich am nichtigsten Anlaß entzünden konnte. Wenn er sich beispielsweise im Pferdestall zu schaffen machte und im Hafersack eine Ratte rascheln hörte, konnte er blitzschnell in den Sack greifen, die Ratte herausziehen, sich vors Gesicht halten und zudrücken und drücken und drücken, während die Ratte markerschütternd schrie wie ein Säugling, und zwar minutenlang, bis ihr in der Faust des Postmeisters erst die Luft und dann die Lebenskraft ausging. Wer je eine Ratte in Todesangst hat schreien hören, weiß: Dazu ist kein gewöhnlicher Mensch imstande. Das konnte nur der Postmeister, und deshalb gingen ihm alle Dörfler nach Möglichkeit aus dem Weg. Jetzt aber hielt er sein Mittagsschläfchen, und der Weg war frei für Ernst Walder.

Er blieb zwanzig Schritte vor der Postmeisterin stehen. »Du bist's – schon wieder!« brüllte sie in der kehligen und lauten Mundart, die im Basler Hinterland nun mal beheimatet ist. Hasso zuckte mit den Ohren und schlief weiter. Daß der Postmeister durch das Gebrüll im Schlaf gestört werden könnte, war nicht zu befürchten. Wenn er schlief, schlief er.

»Ja, ich schon wieder!« brüllte Ernst zurück. Zwar hatte er das Lehrerseminar im nahen Städtchen besucht und dort gelernt, daß man nicht unbedingt immer und überall brüllen muß. Aber wenn es sein mußte, konnte er so laut brüllen wie irgendeiner hier im Dorf. Jetzt mußte es sein.

»Ich habe Blumen mitgebracht!« brüllte er. Dabei schaute er nicht die Postmeisterin an, sondern das Fenster rechts außen unter dem Dach, das einen Spalt offen stand.

»Ich habe dir doch gesagt, sie ist krank!« brüllte die Postmeisterin. »Gestern habe ich es dir gesagt! Vorgestern habe ich es dir gesagt!! Und vorvorgestern habe ich es dir gesagt!«

»Ich habe mir gedacht, vielleicht ist sie heute nicht mehr krank!«

»Sie ist aber noch krank!«

»Es sind rote Rosen!« brüllte Ernst zum Fenster hinauf und wischte mit dem Strauß durch die Luft, daß ein paar Blütenblätter abfielen. »Dreizehn Stück! Importware! Aus der Stadt!«

»Rosen! Mitten im Winter!« Die Postmeisterin prüfte die Blumen mit strengem Fernblick. »Das hätte dir auch früher in den Sinn kommen können, dem armen Luder mal etwas mitzubringen! Jetzt, wo sie krank ist, hat's keinen Zweck!«

»Ich kann ihr die Blumen ja aufs Zimmer bringen!«

»Was fällt dir ein! Ich habe es dir gestern gesagt und vorgestern und vorvorgestern! Du hast dem Kind schon übel genug mitgespielt!«

»Ich! Dem Kind! Mitgespielt!« Ernst Walder verschlug es die Sprache ob dieser ungerechten Deutung der Ereignisse. Er hob nach Lehrerart die rechte Hand, in der er den Blumenstrauß hielt, und wollte zu einer Rede ansetzen. Aber da sah er das kampflustig vorgereckte

71

Kinn der Postmeisterin, kapitulierte und streckte ihr den Strauß entgegen.

»Die Blumen! Kann man ihr wenigstens die zukommen lassen!« Er hatte das als Frage gemeint – aber wenn man brüllt, klingt alles wie ein Befehl. »Oder soll ich sie den Kühen verfüttern!« Er hätte schwören können, daß sich beim obersten Fenster rechts außen gerade die Gardinen bewegt hatten.

»Das Dornenzeug fressen die Kühe doch nicht! Gib halt her!« Die Postmeisterin stand auf und streckte ihm ihren fleischigen Arm entgegen. Ernst machte die zwanzig Schritte zu ihr hin und gab ihr den Strauß, worauf sie sich grußlos umdrehte und die Treppe zur Haustür hochstieg.

»Bringen Sie ihr die Blumen jetzt gleich!« fragte er. Seine Stimme bebte vor Zorn, und eine dicke, blaue Ader zeichnete sich auf der Stirn ab.

»Ja!« brüllte die Postmeisterin und verschwand im Flur. Hasso blieb liegen und schlief.

»Sofort!«

»Ja doch!«

»DANN FRAGEN SIE SIE DOCH AUCH GLEICH, OB SIE MICH HEIRATEN WILL!« Die Haustür fiel ins Schloß, und eine Sekunde später schlug mit lautem Knall auch das Fenster rechts außen unter dem Dach zu. Dabei sei eine Scheibe aus dem Fensterrahmen gefallen und auf dem Vorplatz zerbrochen, nur eine Handbreit neben Hasso, versicherte mir Großvater sechsundvierzig Jahre später, als wir gemeinsam die Brombeerhecke stutzten. Großmutter hat auch das energisch dementiert.

★

Als Marie Stifter am sechzehnten Dezember erstmals unentschuldigt der Arbeit fernblieb, bat der Globus-Personalchef das Arbeitsamt um halb zehn Uhr telephonisch um eine neue Aushilfsverkäuferin. Um elf fing die neue an, und Marie ist zeitlebens keiner bezahlten Arbeit mehr nachgegangen.

★

Ohne Maries Begleitung wollte Dorly Schupp »nicht zum Rendezvous mit Sandweg und Velte gehen, da mir das eben zu sehr nach einem Rendezvous ausgesehen hätte. Ich habe Marie eigens noch nach Hause telephoniert, um zu wissen, ob sie abends nach Basel komme. Sie kam nicht selbst an den Apparat, ließ aber durch ihre Mutter ausrichten, sie sei krank und könne nicht kommen. Darauf wollte ich die Verabredung absagen. Da ich aber nicht wußte, in welcher Pension Sandweg und Velte logierten, konnte ich die beiden nicht verständigen. Ich betrachtete es deshalb als meine Pflicht, mich wenigstens für ein paar Minuten am Treffpunkt bei der Litfaßsäule zu zeigen. Als ich dann aber dort war, entspann sich zwischen Velte und mir ein interessantes Gespräch, dessen Inhalt ich mich jetzt nicht mehr entsinne, das ich aber nicht abbrechen wollte. Wir gingen deshalb wie an den Abenden zuvor spazieren, diesmal halt zu dritt statt zu viert. Es schneite und war sehr kalt. Die Route führte wiederum über die Mittlere Rheinbrücke zum Unteren Rheinweg, zum Schaffhauserrheinweg und zur Grenzacherstraße, über die Eisenbahnbrücke zum Albanrheinweg, von da die Treppe hoch zur Wettsteinbrücke und durch die Rittergasse zum Globus, wo wir Abschied nahmen.«

Am folgenden Mittag kaufen Waldemar und Kurt bei Dorly ihre vierte Schallplatte und bestellen die fünfte. Es ist der siebzehnte Dezember 1933, der fünfte Tag ihrer Bekanntschaft. Abends gehen sie mit ihr am Rhein spazieren. Am achtzehnten Dezember kaufen sie wieder eine Schallplatte und gehen abends spazieren, am neunzehnten, zwanzigsten und einundzwanzigsten ebenfalls, am zweiundzwanzigsten und dreiundzwanzigsten auch und immer so weiter über die Festtage hinweg bis in den Januar hinein.

★

Es muß an einem Abend kurz vor Weihnachten sein, als Kurt Sandweg am Eingang des Kaufhauses Rheinbrücke einen Photoautomaten entdeckt – einen Photomatonkasten, wie das Gerät damals hieß. An das genaue Datum konnte sich Dorly Schupp in der polizeilichen Vernehmung später nicht mehr erinnern.

»Fräulein Dorly, lassen Sie uns ein paar Erinnerungsphotos machen!«

»Bitte, nur zu.«

»Mit Ihnen! Wir alle drei!«

»Nein, vielen Dank.«

»Jetzt kommen Sie doch!«

»Du meine Güte, nein. Dann soll ich womöglich auch noch Grimassen schneiden und mich mit Ihnen küssen.«

»Aber nein, wir machen Erinnerungsphotos! Drei Photos von jedem von uns, dann bekommt jeder ein Bild von sich und von den anderen.«

»Lieber nicht.«

»Fräulein Dorly, wir reisen bald ab – ein Abschiedsgeschenk!«

Dorly lacht und geht weiter, am Photomatonkasten vorbei.

»Fräulein Dorly!«

»Laß gut sein, Kurt.« Waldemar zieht seinen Freund, der Dorly hinterherlaufen will, am Ellbogen zurück. »Fräulein Dorly möchte keine Spuren hinterlassen. Keine Beweismittel.« Er spricht leise, aber doch so laut, daß sie es hören kann.

Dorly bleibt stehen, mit dem Rücken zu Kurt und Waldemar.

»Nicht wahr, Fräulein Dorly?« Waldemar Velte lächelt ihren Rücken an. »Eine Photographie ist sozusagen etwas Schriftliches, da muß man vorsichtig sein.«

Da wird Dorly wütend. Sie dreht sich um und stemmt die Fäuste in die Seiten. »Ich wurde recht heftig und setzte dem Velte auseinander, er müsse mir nichts erzählen über Vorsicht und Mißtrauen; schließlich seien sie beide es, die mir ihre vollständigen Namen verheimlichen würden, während ich aus meinem Namen nie ein Geheimnis gemacht hätte; ich sagte sogar, meinetwegen dürften sie die Personalien meiner Vorfahren bis ins sechste und siebente Glied erfahren, wenn sie Wert darauf legten. Hierauf tat Velte zerknirscht, bat um Entschuldigung und fragte, ob er und Sandweg den Photomatonkasten benützen dürften. Dagegen hatte ich nichts einzuwenden.«

Kurt und Waldemar zwängen sich zusammen in den Photomatonkasten und werfen eine Münze um die andere ein, dann blitzt und blitzt es, und die beiden machen die Grimassen, die Dorly erwartet hat. Der Automat spuckt die Bilder aus, die bis auf den heutigen Tag in den Polizei- und Zeitungsarchiven liegen: Einzel- und Doppelaufnahmen, mit und ohne Hut, mit Zigarette im Mundwinkel und ohne, unbefangen lächelnd und grimmig verlegen. Insgesamt sind es vierzehn Bilder. Dorly Schupp: »Ich kenne die auf den Photographien abgebildeten Männer gut. Mit dem einen hatte ich ein freundschaftliches Verhältnis. Ich besitze selber drei solche Photographien, die mit den in Polizeibesitz befindlichen praktisch identisch sind. Diese wurden mir von den zwei Deutschen beim Photomatonkasten geschenkt. Wenn es dagegen keine Einwände gibt, würde ich die Bilder gerne als Andenken in meinem Besitz behalten.«

★

Am Heiligen Abend hat das Kaufhaus Globus schon um vier Uhr nachmittags Ladenschluß. Für einmal gehen Dorly, Waldemar und Kurt nicht hinunter zum Rhein, sondern stadteinwärts. »Auf Veltes Vorschlag hin spazierten wir vom Marktplatz die Freie Straße hoch. Als er bemerkte, daß rechter Hand eine Bijouterie noch geöffnet hatte, blieb er stehen und äußerte den Wunsch, mir zum Zeichen seiner Freundschaft einen goldenen Ring zu kaufen. Ich lehnte ab und mußte sogar zornig werden, damit er von seinem Vorhaben abließ.«

★

»Am Mittwoch, 3. Januar 1934, als ich, wie gewöhnlich damals, etwas nach 22 Uhr mit den beiden auf dem

Marktplatz zusammentraf, wir uns einige Zeit unterhielten und ich von ihnen heimbegleitet wurde, bemerkte Velte beim Abschiednehmen, ich solle nicht erstaunt sein, wenn ich sie am darauffolgenden Tage, also Donnerstag, 4. Januar 1934, nach 22 Uhr auf dem Marktplatz nicht anträfe, es bestehe nämlich die Möglichkeit, daß sie am Kommen geschäftlich verhindert seien. Als ich dann am Donnerstag, 4. Januar 1934, nach 22 Uhr auf den Marktplatz kam, waren die beiden nicht dort. In jener Nacht habe ich sie überhaupt nicht gesehen.«

10. Kapitel

In der Nacht vom vierten auf den fünften Januar sind Kurt und Waldemar tatsächlich geschäftlich unterwegs, und zwar in einem blauen Ford V 8, Modell A mit schwarzem Verdeck und Kennzeichen BS 15750, dessen rechtmäßiger Besitzer ihn kurz zuvor an der Belchenstraße abgestellt hat. Dorly Schupp wollte das lange nicht glauben: »Daß Sandweg und Velte einen Ford gestohlen haben sollen, halte ich für sehr unwahrscheinlich. Sandweg schwärmte zwar immer, daß das die besten Autos der Welt seien. Velte jedoch schwor, daß er sich nie im Leben in einen Ford setzen werde, weil Henry Ford den Wahlkampf der Nazis mit Geld unterstützt habe.«

Gemächlich fährt der Ford südostwärts, am Bahnhof vorbei und weiter zum Stadtrand. Rechts zieht das Fußballstadion Sankt Jakob vorüber, links das Röhrengewusel der Chemiefabriken von Schweizerhalle, dann die schwarzen Bohrtürme der Salinen. Schon bald biegt die Straße ab in die sanften Hügel des Jura, und dann sind da nur noch hartgefrorene Kuhweiden und kahle Kirschbäume. Alle paar Kilometer rollt das Auto durch nachtschwarze Bauerndörfer. Im Schein der Rücklichter wirbelt rot der Schneestaub von der Straße auf; aus dunklen Kuhställen muht schlaftrunkenes Vieh, in den Dachstuben seufzt geschundenes Gesinde, in den Erdgeschossen knirschen die Bauern mit den Zähnen.

★

Über den Ford V8 konnte mein Großvater ins Schwärmen geraten. »Das war die letzte große Ingenieursleistung Henry Fords: geräumig, antriebsstark und seiner Zeit technologisch um zwanzig Jahre voraus. 3,6 Liter Hubraum, 65 PS und eine Höchstgeschwindigkeit von 140 Stundenkilometern. Sagenhaft. Beim Aprikosenbaum solltest du das Fruchtholz nicht zu lang stehen lassen, Max.«

★

Nach zwanzig Kilometern Fahrt wendet der Wagen und hält am Straßenrand. Es ist kurz vor elf Uhr. Der Motor verstummt, die Scheinwerfer gehen aus. Im Hintergrund stehen schwarz die Dächer eines Dorfes, davor ein Ortsschild, auf dem im Dunkeln kaum lesbar »Sissach« steht. Zwei Seitentäler weiter westlich liegen Marie Stifter und Ernst Walder grollend in ihren Betten.

Für eine Minute oder zwei geht im Auto die Deckenlampe an, dann ist es wieder dunkel. Hin und wieder beleuchten die Scheinwerfer eines vorbeifahrenden Wagens den Innenraum des Ford; dann ducken sich Sandweg und Velte unters Armaturenbrett. Der Motor kühlt aus, das Blech des Auspuffs klinkert. Einmal noch kurbelt der Beifahrer das Seitenfenster herunter und wirft ein Stück Schinkenschwarte und acht Feigenstiele hinaus, die die Polizei am nächsten Tag finden wird. Dann ist es still.

Noch vor dem Morgengrauen krähen im Dorf die Hähne. Während die Knechte den Stall ausmisten, die Mägde den Herd einheizen und die Bauern die Milch in die Käserei bringen, fährt der blaue Ford zurück nach Basel. Eine halbe Stunde später fällt das Auto einem Straßenbahnfahrer auf, da der Lenker offensichtlich nicht ortskundig ist. Der Polizei wird er später sagen, der Wagen sei um 7.52 Uhr von der Dufourstraße in die Aeschenvorstadt eingebogen. Genau um 7.52 Uhr? Der Straßenbahnfahrer ist beleidigt. Er fährt jeden Tag fahrplangemäß um 7.52 Uhr über den Aeschenplatz, deshalb weiß er das so präzis. Am Heckfenster des Ford habe sich übrigens ein zweiter Insasse mit bleichem Gesicht und grünen Augen gezeigt. Grüne Augen? Hat er die erkennen können, auf diese Distanz und durch zwei Scheiben hindurch? Der Straßenbahnfahrer ist nochmal beleidigt. »Wenn ich grüne Augen gesehen habe, habe ich grüne Augen gesehen.«

★

In Basel gibt es am fünften Januar 1934 zweiundsechzig Bankhäuser. Sie alle öffnen ihre Schalter täglich um Punkt acht Uhr. Wenn die Glocken vom Münster schlagen, machen sich in der ganzen Stadt gleichzeitig zweiundsechzig Banklehrlinge mit Schlüsseln an den Haupteingängen zu schaffen. Das Aufschließen am Morgen ist Sache der Lehrlinge, das Abschließen am Abend – weil ungleich verantwortungsvoller – Sache der Chefs.

In der Wever-Bank an der Elisabethenstraße waltet der achtzehnjährige Banklehrling Werner Siegrist seines Amtes, das er seit Beginn des dritten Lehrjahres innehat.

Dann bringt er die Schlüssel zurück zum Prokuristen und Ersten Kassier Jacques Beutter.

»Danke, Siegrist. Haitz, Sie können jetzt die Post holen.«

Wilhelm Haitz ist im zweiten Lehrjahr und zuständig für die Botengänge zur Hauptpost. Das hat Siegrist hinter sich; er setzt sich an sein Pult, nimmt die Staubschutzhülle von seiner Underwood und fängt an, Wertschriftenauszüge zu tippen. Lehrling Haitz nimmt den Handkarren und zieht los.

Wilhelm Haitz liebt diese Ausflüge zur Hauptpost, die er dreimal täglich unternimmt. Das ist dreimal am Tag eine halbe Stunde Freiheit und frische Luft. Dreimal den Büromädchen auf die Beine schauen, die sich zu jeder Tageszeit in Scharen auf der Hauptpost tummeln. Dreimal im Vorbeigehen die Kinoplakate studieren, unbeobachtet eine Zigarette rauchen, mit den Lehrlingen vom Bankverein und von der Kreditanstalt ein Schwätzchen halten. Wobei zu sagen ist, daß der Hinweg angenehmer ist als der Rückweg; die Strecke selbst ist zwar dieselbe, aber erstens geht es zur Post bergab, und zweitens ist dann der Handkarren noch leer. Im Sommer kann man schon ins Schwitzen geraten auf dem Rückweg, wenn der Karren überquillt und es endlos aufwärts geht, die Freie Straße hoch und dann weiter durch die Elisabethenstraße bis fast zum Elisabethenpark. Im Juli geht's noch, dann ist der Geschäftsgang flau, der Posteingang mager und der Karren halb leer. Aber im Juni und in der zweiten Hälfte August! Es müßte umgekehrt sein, wie sooft im Leben: Die Bank müßte unten sein und die Post oben. Dann könnte man den leeren Handkarren den

Berg hochziehen und den vollen einfach hinunterrollen lassen. Oder man müßte das ganze Gelände kippen können bei Bedarf: hinunter zur Post laufen, Gelände kippen, hinunter zur Bank zurücklaufen. Gerade im Großen Schnee vom vorvorletzten Winter wäre das praktisch gewesen, als die Freie Straße eine einzige Langlaufloipe war …

So geht Wilhelm Haitz sinnend seines Weges, leert das Postfach, holt am Schalter eingeschriebene Briefe und Pakete ab und ist um acht Uhr vierzig wieder bei der Wever-Bank. Auf dem Gehsteig steht ein blauer Ford, mitten im Halteverbot, mit laufendem Motor und niemandem am Steuer. Da kommt ein junger Mann aus der Bank gelaufen, der trägt einen grüngrauen Mantel und eine Autobrille mit dunkelgelben Gläsern. Geschwind steigt er auf der Fahrerseite ein, drückt die Kupplung, legt den ersten Gang ein und löst die Handbremse. Dann kommt ein zweiter Mann aus der Bank. Auch er trägt einen grüngrauen Mantel, aber die Gläser seiner Brille sind grün und nicht dunkelgelb, und unter dem Arm trägt er eine große Mappe. Der zweite Mann steigt ein und klettert auf den Rücksitz. Seltsam, denkt Haitz. Im Kino wäre das jetzt ein Banküberfall, keine Frage. Er sieht dem Ford hinterher, der links in die De-Wette-Straße einbiegt und verschwindet.

Der kleine Haitz betritt den Schalterraum der Wever-Bank. Da sieht er seinen Chef Jacques Beutter und den Titelkassier Arnold Kaufmann schlaff und blutüberströmt in ihren Drehstühlen hängen. Beutters Drehstuhl rollt nach hinten und dreht sich, und dadurch verliert der Kassier den Halt und gleitet langsam unter den Schreibtisch. Haitz schüttelt den Kopf. Er hat den Chef schon mehrmals darauf hingewiesen, daß die Drehstühle falsche Rollen haben. Diese Rollen hier sind für Teppichböden konzipiert, auf Linoleum rollen die viel zu leicht. Das kann gefährlich sein, Haitz hat das in der Gewerbeschule gelernt und ein Merkblatt der Unfallversicherungsanstalt erhalten, das er auch seinen Vorgesetzten weitergegeben hat, aber auf ihn hört ja keiner, weil er erst im zweiten Lehrjahr ist. Das sind die Dinge, die dem kleinen Haitz durch den Kopf gehen, und er wird sie der Polizei wenig später in allen Einzelheiten darlegen.

Im Hinterraum steht Lehrling Siegrist und ruft in einen Telefonhörer: »Überfall! Überfall! Überfall!« Sieben Minuten später ist die Polizei da, und Siegrist gibt alles zu Protokoll, so genau er eben kann.

»Heute morgen, vermutlich um 09.35 Uhr …«

Heute um 09.35 Uhr? Es ist doch noch nicht einmal neun Uhr.

»… die genaue Zeit könne er nicht angeben, hätten 2 unbekannte jüngere Männer durch die Eingangstür den Schalterraum betreten, als außer Beutter, Kaufmann und ihm gar niemand zugegen gewesen sei. Von den beiden Unbekannten sei je einer an einen der beiden Schalter getreten. Im gleichen Moment sei der deutliche Ruf erfolgt: ›Hände hoch!‹ Da beide Unbekannten ihre Pistolen auf sie gerichtet, sie in Schach gehalten hätten, habe er sich erhoben und soviel er gesehen habe, hätten dies auch Beutter und Kaufmann getan. Nach wenigen Sekunden seien Schüsse gefallen, total glaublich fünf oder sechs. Einer Eingebung folgend, habe er sich plötzlich von seinem Platz nach rückwärts in den nach hinten führenden Gang geflüchtet. Ob auf ihn geschossen worden sei, wisse er nicht. Auf alle Fälle sei er nicht getroffen worden. Es sei möglich, daß er sich schon geflüchtet habe, bevor der erste Schuß gefallen sei.«

Kurz nach der Polizei trifft die Ambulanz ein. Beutter und Kaufmann werden auf Bahren gebettet und weggetragen. Sie reden noch ein paar Worte mit den Polizeibeamten, bevor sie das Bewußtsein verlieren.

An jenem Morgen ist die Stadt voller Polizisten, die anhand eines sehr vagen Signalements nach den zwei Räubern suchen. Alle paar Minuten klicken irgendwo Handschellen, und dann wird wieder ein Bursche abgeführt, der das Unglück hat, einigermaßen jung und ziemlich groß oder ziemlich klein oder in Gesellschaft eines anderen jungen Burschen zu sein, der ebenfalls ziemlich groß oder ziemlich klein ist. Alle Grenzübergangsstellen sind in Alarmbereitschaft, die Bahnhöfe streng bewacht.

Um zehn Uhr dreißig findet eine Polizeistreife den blauen Ford V 8 am Albanrheinweg, wo Waldemar und Kurt so oft mit Dorly spazierengingen. Auf dem Rücksitz liegt eine leere Geldschale. Die Beute umfaßt laut Polizeirapport »228 Schweizer Franken und 27 Rappen, 103 Französische Francs und 45 Centimes, 119 Reichsmark und 83 Pfennige, ferner acht silberne Zeppelingedenkmünzen, in der Größe eines alten Fünffrankenstückes, Jahrgang 1929, mit der Aufschrift ›Weltfahrt August 1929‹ (Wert je 6 Franken 95 Rappen) sowie eine Goldmünze genau gleicher Ausführung, Verkaufswert 125 Franken.«

★

Nach seinem Auftritt mit den dreizehn roten Rosen tauchte Ernst Walder nicht mehr vor der Post auf. Vor und nach den Festtagen unterrichtete er an der Grundschule wie stets, er leitete die Proben des Männerchors wie gewohnt, nahm wie üblich teil an Partei- und Gemeindeversammlungen, den Trainings des Fußballclubs und des Turnvereins – aber er machte einen großen Bogen um die Post und das Restaurant »Zur Traube«. Und Marie Stifter? Die blieb eisern in ihrem Zimmer – eine Woche, zwei, drei Wochen lang – und ließ sich nicht blicken, auch nicht an Heiligabend, an Weihnachten oder an Silvester.

Am Abend des vierten Januar beschloß Postmeister Stifter, daß es genug sei. Er holte seinen Sonntagsanzug aus dem Schrank, steckte sich eine Zigarre an und stapfte quer durchs Dorf, um mit dem alten Schulmeister Walder ein Wörtchen zu reden. Schließlich habe dessen Ernst vor der Post lauthals um die Hand seiner Marie angehalten, und was denn nun los sei. Der alte Schulmeister wiegte den Kopf und gab sich diplomatisch; von einem formellen Heiratsantrag könne seines Wissens keine Rede sein, und er müsse erst Rücksprache mit dem Junior nehmen. Darauf brüllte der Postmeister: »Komm, komm, jetzt mach keine Fisimatenten! Das ganze Dorf hat deinen Jungen gehört, wie er vor meinem Haus rumgebrüllt hat!« Gleichzeitig begann er sich zu verfärben, worauf der alte Schulmeister rasch einlenkte. Die pekuniären Einzelheiten hatten sie rasch geregelt. Als Hochzeitstag wurde der dritte Samstag nach Ostern bestimmt. Darüber hinaus wurde verabredet, daß Ernst am nächsten Mittag auf der Post seine Aufwartung machen solle und daß er wiederum rote Rosen mitbringen werde, diesmal aber nicht dreizehn, sondern siebenundzwanzig Stück, als Zeichen der Sühne. Marie wurde im Gegenzug verpflichtet, das Fenster zu öffnen und Ernst freundlich zuzuwinken, sobald er auf zwanzig Schritt heran wäre, und wenn irgend möglich, sollte sie ihm eine Kußhand zuwerfen. Dann würden die beiden einen Spaziergang machen. Der Postmeister und die Postmeisterin würden währenddessen ihren Mittagsschlaf halten und sich nicht blicken lassen.

Zu einer Kußhand konnte sich Marie nicht durchringen, aber ansonsten geschah es genau wie ausgemacht. Während in Basel hektisch nach zwei Bankräubern gefahndet wurde, staksten Marie und Ernst über Wiesen und Felder, schlugen mit Knochen, Stiefeln und Schirmen gegeneinander und redeten, damit geredet war. Beide waren grimmig entschlossen, den anderen zu besiegen, das heißt, ins Unrecht zu setzen; in diesem Wettstreit würde derjenige verlieren, der als erster seinen Groll offenbarte und die längst fällige Auseinandersetzung vom Zaun brach. Und weil ums Verrecken keiner von beiden nachgeben wollte, endete ihr Spaziergang entsetzlicherweise hinter dem Haus des Postmeisters mit einem Kuß, bei dem sie übrigens mit den Zähnen gegeneinanderschlugen. Von jenem Augenblick an galten sie formell als verlobt.

*

In der Schalterhalle der Wever-Bank wird vermessen und photographiert, verhört und stenographiert und gezählt und gezeichnet. Banklehrling Werner Siegrist erzählt wieder und wieder alles, was er weiß. »Zweifellos hatten sich die Täter vor Begehung des Überfalles im Schalterraum der Bank Wever & Cie umgesehen, die Verhältnisse ausspioniert. Es war ihnen möglich durch den Umwechsel fremder Devisen oder anläßlich der Erkundigung nach dem Kurs fremder Währungen. Genau orientiert waren die Täter aber nicht, ansonsten sie nicht das Silbergeld, sondern das in der Nebenschublade vorhandene Papiergeld im Betrage von einigen tausend Franken entwendet haben würden. Aus der Schublade, die das Papiergeld enthielt, wurde nichts entwendet, obwohl dieselbe nicht abgeschlossen war.«

Kurz vor elf Uhr werden Jacques Beutter und Arnold Kaufmann im Basler Bürgerspital operiert. Prokurist Beutter hat laut polizeilicher Aktennotiz zwei Schußwunden. »Eines der Projektile ist ihm ins Gesäß gedrungen, das zweite unter dem rechten Arm hindurch durch den ganzen Oberkörper und hat die tödlichen Verletzungen an der Luft- und Speiseröhre verursacht. Der junge Kaufmann dagegen hat einen Schuß zu verzeichnen, der ihm quer durch den Kopf gegangen ist.« Beutter stirbt auf dem Operationstisch, Kaufmann zwölf Stunden später auf der Intensivstation.

11. Kapitel

Kurz vor elf Uhr erscheint die Morgenausgabe der Basler National-Zeitung. »Banküberfall an der Elisabethenstraße!« ruft der Zeitungsjunge über den Marktplatz. Eine junge Frau, die in jeder Hand einen großen Korb Gemüse trägt, kauft ihm drei Zeitungen ab. Es ist die Wirtin Johanna Furrer, die an der Herbergsgasse eine kleine Pension führt. Sie trägt ihre Körbe nach Hause und sieht nach dem Mittagessen, das auf dem Herd kocht. Jetzt ist gerade noch Zeit, das Zimmer der zwei Deutschen zu besorgen, die immer so lange schlafen und ganze Nachmittage hindurch Schallplatten abspielen.

»Als ich eintrat, standen die Deutschen in Hose und Unterhemd und rauchten Zigaretten. Ich frug sie, ob sie schon gehört hätten, was heute morgen passiert war. Nein, was denn, sagte der größere, worauf ich von dem stattgefundenen Banküberfall berichtete. Beide drückten ihre Abscheu vor der Tat und den Tätern aus. In ihrem Zimmer fielen mir zwei große, mit braunem Packpapier verschnürte Pakete auf, die am Abend zuvor noch nicht da gewesen waren. Um 12 Uhr erschienen beide Deutschen im Speisezimmer und nahmen nebst anderen Pensionären das Mittagessen ein. Während des Essens wurde von den Anwesenden heftig über den vorgefallenen Raubüberfall disputiert. Die beiden haben sich aber am Gespräch nicht beteiligt, sondern unterhielten sich nur gegenseitig.«

Als Johanna Furrer den Kaffee aufträgt, sind die zwei Deutschen verschwunden. Der Zimmerschlüssel hängt am Nagelbrett. Die zwei Pakete gehen ihr nicht aus dem Sinn. Schlampig geschnürte Pakete waren das, und doch lagen sie so wichtig mitten im Zimmer. Sie nimmt den Schlüssel und geht die Treppe hoch. »Die Pakete lagen weder auf dem Fußboden noch auf dem Tisch noch auf einem der beiden Stühle. Im Kleiderschrank lagen nur zwei Koffer und der Kasten mit dem Grammophon, die aber alle abgeschlossen waren. Ob die Pakete Regenmäntel enthielten, vermag ich deshalb nicht zu sagen, von der Größe her könnte es sein. Ich habe die zwei Deutschen aber nie in Regenmänteln gesehen, immer nur in Tweed-Mänteln. Für mich war an den beiden auffallend, daß sie immer beieinander waren. Schon bei der Anmeldung hatten sie nur 1 Hausschlüssel verlangt, weil sie immer beieinander seien. Merkwürdig war auch, daß sie selten im Zimmer Licht hatten, auch wenn es Nacht war, und daß sie dauernd Musik auf ihrem Grammophon abspielten, meistens Tango. Wenn es deutsche Lieder waren, sang einer manchmal mit, ich glaube, es war dies der Große.«

★

Auf dem Kommandoposten der Stadtpolizei gibt zur selben Zeit der Eigentümer des blauen Ford eine Diebstahlanzeige auf. Seinen Wagen hat er zwar wieder, nachdem der Erkennungsdienst die Spuren gesichert, der Photograph seine Aufnahmen gemacht und der Mechaniker das Zündschloß repariert hat. Aus dem Auto verschwunden sind aber:

»1 Zündschlüssel No. 1013 A; 3 Tuben Rasiercrème Marke ›Sibo‹; 2 Hornbrillen, die eine mit dunkelgelben rundlichen, die andere mit grünlichen Gläsern; 1 Brillenetui aus Karton mit der Aufschrift ›Frei‹.«

★

Nochmals zur selben Zeit, in der Schallplattenabteilung des Globus. Die rote Lifttür geht auf, ein Glockenschlag, Kurt und Waldemar treten auf. Dorly wundert sich: Die beiden begrüßen sie nicht. Kurt verschwindet sofort hinter dem nächsten Regal und sieht sich im Laden um. »Ich machte eine scherzhafte Bemerkung des Inhalts, daß die zwei Deutschen meine besten Kunden seien und daß ich wohl nächstens wegen herausragender Verkaufserfolge zur Ersten Verkäuferin befördert würde. Da trat Velte auf mich zu, der noch düsterer aussah als sonst. Er teilte mir mit, daß der Brief endlich angekommen sei, auf den sie gewartet hätten. Morgen müßten sie unbedingt weiterreisen nach Spanien, vielleicht gehe es dann weiter auf dem Landweg nach Indien; ob ich nicht etwas früher Feierabend machen könnte, damit wir genug Zeit hätten für den Abschied? Sie würden mir dann ihre vollen Namen nennen. Sie würden mir auch ihre Pässe zeigen, wenn ich das wünschte.«

★

Am frühen Nachmittag bringt Wilhelm Sperisen, Inhaber des gleichnamigen Kleinbasler Waffengeschäfts, auf dem Polizeiposten Lohnhof den Diebstahl von zwei Selbstladepistolen Kaliber 7,65 mm zur Anzeige. »Zwei junge Burschen haben gestern kurz vor Mittag mein Geschäft betreten, worauf mich der eine mit viel freundlichem Gerede ablenkte, während der andere sich unbemerkt in der Auslage bediente. Den Diebstahl habe ich ursprünglich nicht zur Anzeige bringen wollen in der Annahme, daß die Diebe sowieso nie gefaßt würden und ich von einer Anzeige also nichts als Umtriebe hätte. Nach dem heute vorgefallenen Banküberfall war mir aber klar, daß die Sache für die Polizei wichtig sein könnte.«

★

Den Abend nach dem Banküberfall verbringt Banklehrling Werner Siegrist auf dem Kriminalkommissariat. Er ist der einzige Augenzeuge. Stundenlang werden ihm Dutzende von Tatverdächtigen vorgeführt, allesamt große, mittelgroße, halbkleine und wirklich kleine junge Burschen, aber keiner kommt als Täter in Frage. Der kleine Haitz hingegen hat das Glück, daß ihn die Polizei nicht brauchen kann, da er nichts oder fast nichts gesehen hat. Er sitzt im Kino und sieht sich zum siebenten Mal »King Kong« an.

★

Tagesrapport Kriminalkommissär IV Hoffmann: »Es haben zweifellos beide Täter Schüsse abgefeuert. Sicher ist, daß der größere Unbekannte auf den Lehrling Siegrist einen Schuß abgefeuert hat, als dieser sich flüchtete, ihn aber nicht getroffen hat. Da dieser Täter auf den

91

verschwundenen Siegrist nicht weiter schießen konnte, dürfte er sich unverzüglich an den anderen Schalter begeben und dort auf Beutter und Kaufmann noch 1–2 Schüsse abgefeuert haben. Sein Komplize muß auf die Genannten auch wenigstens 3 Schüsse abgegeben haben.«

★

Nach Ladenschluß spazieren Dorly, Waldemar und Kurt ein letztes Mal den Rhein entlang. Es ist jetzt nicht mehr so kalt wie im Dezember. Der sibirische Nordwind hat sich nach Norden zurückgezogen; der vertraute Nordwestwind treibt feuchte Meeresluft von den Britischen Inseln heran, und es riecht nach nasser Schafwolle. Auf dem Rhein wird das Eis dünner, bricht und treibt der Nordsee zu. Die Schleppkähne hupen reiselustig, die Matrosen lauschen besorgt dem Blubbern der Dieselmotoren, ob der Frost nicht etwa Schaden angerichtet habe. Dorly, Waldemar und Kurt laufen über die Mittlere Brücke – Dorly und Waldemar wie immer nebeneinander, Kurt irgendwo voraus oder hinterher oder auch mal auf gleicher Höhe. Weiter geht es geradeaus, bis am Ende der Greifengasse das kupfergrüne Glockentürmchen der Klarakirche auftaucht.

»Schon oft hatte Velte vorgeschlagen, zu dritt eine Kirche zu besuchen, was Sandweg und ich stets abgelehnt hatten. Diesmal aber gab er nicht klein bei, also betraten wir die Klarakirche. Wir setzten uns alle drei nebeneinander in die vorderste Bank rechts des Mittelgangs und schwiegen. Ob Sandweg und Velte gebetet haben, kann ich nicht sagen; jedenfalls haben wir geschwiegen. Velte vergrub das Gesicht in den Händen, schaukelte mit dem Oberkörper vor und zurück und schien ganz in sich versunken, während Sandweg und ich warteten, bis es genug sei. Nach etwa einer halben Stunde hielt es Sandweg nicht mehr aus und drängte zum Aufbruch. Velte aber war nur mit großer Mühe zum Weggehen zu bewegen. Endlich wieder im Freien, gingen wir über die Mittlere Brücke und dann die Freie Straße hoch zum Centralbahnhof, wo Sandweg die Abfahrtszeiten der Züge nach Südfrankreich notierte. Hernach begleiteten sie mich nach Hause. Unterwegs wiederholte ich meinen vorgängig vorgebrachten Wunsch, einmal ihre vollständigen Namen zu erfahren. Früher war mir die Vorzeigung der Pässe unter allerlei Ausflüchten verweigert worden. Diesmal bestand ich darauf mit dem Hinweis, daß man doch einen Menschen oder eine Sache nur wirklich kenne, wenn man ihn oder sie mit wahrem Namen benennen könne. Das beeindruckte insbesondere Velte, und schließlich vor unserem Haus bequemten sich die beiden, mir ihre Pässe zu zeigen. Ich merkte mir die Namen, Heimatorte und Geburtsdaten, weil ich die beiden ins Herz geschlossen hatte. Deshalb war ich in der Lage, dieselben bei meiner ersten polizeilichen Abhörung genau anzugeben, ohne daß ich sie notiert hatte.

Am folgenden Tag trafen wir abmachungsgemäß um 13 Uhr auf dem Marktplatz zusammen. Die beiden führten mich zur Pension Furrer und sagten, sie müßten noch etwas holen. Entgegen ihrem Ansuchen verzichtete ich darauf, mit ins Zimmer zu gehen, und wartete vor der Pension. Als sie zurückkamen, trug Sandweg zwei

Koffer, Velte eine Reisetasche und das Reisegrammophon. Am Bahnhof löste Sandweg Billetts, zeigte sie aber nicht und sagte, die Reise gehe über Pontarlier/Lyon nach Marseille. Velte sagte, er werde mir von Marseille aus berichten, wohin sie ihr Abenteuer weiter führe.

Die Abreise war für 14.50 Uhr vorgesehen. Da wir aber alle drei in ein Gespräch vertieft waren, verpaßten wir den Zug und hielten uns bis zur Abfahrt des nächsten Zuges um 16.05 Uhr im Wartesaal 2. Klasse auf. Dann bestiegen die beiden den auf dem IV. Perron stehenden Zug und fuhren via Delémont davon. Ich lief dann sofort nach Hause und ging auf mein Zimmer, ohne die Mutter zu begrüßen, da ich erschüttert war. Ich war der festen Überzeugung, daß ich Sandweg und Velte nicht wiedersehen würde.«

12. Kapitel

Am achten Januar 1934 schreibt Waldemar Dorly eine Ansichtskarte aus Lyon.

»Lb. Dorly! In aller Eile herzl. Grüße aus Lyon von Deinem Freund Waldemar. Sind gerade im Zug nach Marseille. Brief folgt. Mein Freund Kurt grüßt ebenfalls herzl.«

Im Globus ist die Hektik des Weihnachtsgeschäfts vorbei, jetzt ist die Zeit des Umtauschens da. Dorly nimmt die Schallplatten entgegen, die da den Weg zurück zu ihr finden: das große Wagner-Album, das ein Gymnasiast errötend gegen drei ganz schlimme Jazz-Platten eintauscht; die Préludes von Chopin, die ein junges Mädchen für etwas Spitzenunterwäsche hergibt; George Gershwins Rhapsody in Blue, die ein älterer Herr gegen Bachs Goldberg-Variationen eintauscht. Und gelegentlich kommt es vor, daß das junge Mädchen die Tochter des älteren Herrn ist und der Gymnasiast ihr Bruder und daß sich alle gegenseitig Schallplatten zu Weihnachten geschenkt haben; womöglich verpassen die drei einander nur um ein paar Minuten, wodurch ihnen eine peinvolle Familienzusammenkunft erspart bleibt. Dorly schweigt diskret und hört sich murmelnd vorgetragene Lügen-

geschichten an; sie berechnet Preisdifferenzen und Lie-
ferfristen, stellt Gutscheine aus und packt ein, und nach
Feierabend verläßt sie das Geschäft durch den Personal-
ausgang und geht vorbei an der Litfaßsäule, an der jetzt
niemand mehr wartet. Die Abende sind lang zu Hause,
wenn die Mutter Stunde um Stunde an ihrer Handarbeit
sitzt und das Ticken der Wanduhr das einzige Geräusch
ist.

Am zwölften Januar trifft ein Brief aus Südfrankreich
ein. Sie wird ihn drei Wochen später einem Reporter von
der National-Zeitung überlassen, damit der endlich
Ruhe gibt.

»Marseille, 10. Januar 1934. Liebe Dorly, Wir sind wieder zurück in Marseille! Unsere Reise ist und bleibt ein
unglückseliges Unterfangen. An der spanischen Grenze
hat uns ein goldbetreßter Operettenzöllner die Einreise
verweigert, weil ihm unsere Papiere nicht paßten. So
haben wir umkehren müssen und nochmal durch diese
Operettenlandschaft von einem Südfrankreich reisen,
das mit seinen Palmen, Rebbergen, Luxushotels und
Wildpferden genauso aussieht, wie sich deutsche Pensio-
nisten Südfrankreich vorstellen.

Und jetzt also wieder Marseille. Immerhin bin ich nun
wieder etwas näher bei Basel und bei Dir, liebe Dorly.
Kurt ist in diesem Augenblick unten am Hafen und
schaut sich Schiffe an. Er mag Schiffe. Ich schreibe Dir
hier auf der Sonnenterrasse eines Kaffeehauses, und es ist
schon fast ein bißchen Frühling. Wir müssen jetzt überlegen, wie es weitergehen soll – noch einmal die Einreise
nach Spanien versuchen, eine andere Route wählen? Die

Lust auf die Reiserei ist mir in letzter Zeit so recht abhanden gekommen. Schließlich, wozu sich abmühen? Die ganzen Scherereien um Pässe und Visa und Transitgenehmigungen und Fahrpläne, dieses ewige Geldwechseln – Mark in Francs, Francs in Franken, Franken wieder in Francs, Francs in Peseten, Peseten in Francs, ohne Ende – mit welchem Resultat? Mit der Erkenntnis, daß die Welt eine einzige Festung ist. Ein Gefängnis, ein Alcatraz ohne Fluchtmöglichkeit. Da müßte man schon eine Mondrakete zur freien Verfügung haben, ein Zeppelin ist da nicht viel besser als eine Schwebebahn.

Wer reicher ist als Kurt und ich oder auch gerissener und rücksichtsloser, der schafft es vielleicht nach Spanien und sogar noch weiter, aber es bleibt doch immer eine Flucht von einer Gefängniszelle in die andere, von Zelle Frankreich nach Zelle Spanien, und dahinter folgt immer die nächste Zelle, Marokko, Libyen, Ägypten, Indien und so weiter. Das ist mir jetzt klar. Wenn man wirklich fliehen möchte und nicht einfach nur davonlaufen von einer Zelle in die nächste, dann müßte man weiter gehen, viel weiter – bis zu den letzten weißen Flecken auf der Landkarte, die es immer irgendwo gibt. Aber weiße Flecken haben gerade eben die Eigenart, daß sie unerreichbar sind. Sonst wären sie nicht weiß.

Liebe Dorly, alle reden von Amerika. Aber sag, was soll ich dort? Kürzlich habe ich in der Zeitung von den sogenannten Court-Restaurants in Chikago gelesen, wo feine Leute sich den Nervenkitzel leisten, zur gleichen Stunde mit einem Hinzurichtenden im gleichen Haus das gleiche Abendbrot zu essen. Soll ein Ort, an dem solche Dinge geschehen, das Ziel meiner Träume sein? Sag,

Dorly, verstehst Du mich? Ja, Du verstehst mich, da bin ich ganz ruhig.

Vielleicht sollten Kurt und ich hübsch leise heimkehren nach Wuppertal und uns zum Arbeitsdienst melden. Was meinst Du? Das wäre doch auszuhalten für eine Weile. Man müßte halt Augen, Ohren und Mund zusperren, freitags Lotto spielen und sich um nichts als um sich selbst kümmern. In ein paar Monaten würde sich schon eine Technikerstelle finden in einem Stahl- oder Kohlewerk. Der obligatorischen NS Reichsfachschaft Deutscher Industrietechniker müßte man halt beitreten, aber eine Dreizimmerwohnung könnte man sich schon leisten. Dann könntest Du nachkommen, und wir würden alle drei zusammen leben. Was meinst Du, Dorly? Es gibt auch in Wuppertal Kaufhäuser, weißt Du? Da würdest Du bestimmt eine Stellung finden.

Aber nein, das geht alles nicht, das wäre ein Irrsinn. Es besteht doch eine göttliche Ordnung – muß bestehen! –, der wir uns nicht entziehen können. Das Leben ein Irrsinn? Zwecklos? Nein, abermals nein! Es hat einen Sinn! Wir müssen weiterkämpfen, uns befreien. Und wenn Gott es will, werden Du und ich bald wieder vereint sein, wo und unter welchen Umständen auch immer. Und meint's das Schicksal gut, dann bin ich frohgemut, und meint's das Schicksal schlecht, denk ich erst recht: In Deinen Händen ruh ich von allem aus – in Deinen Händen bin ich ganz zuhaus. Dein Freund Waldemar.«

★

Auf dem Basler Kriminalkommissariat sitzt ein Mann mit gewaltigen Pranken und kräftigen Kiefermuskeln.

»Ich, Karl Kaufmann-Langenegger, geboren 1896, Schlosser, wohnhaft in Füllinsdorf, Baselland, setze hiemit für Angaben, die zur Ermittlung der Täterschaft führen, eine Belohnung von Fr. 1 000,– aus. Der in der Wever-Bank ermordete Kaufmann Arnold war mein Bruder. Vorgelesen und unterzeichnet: Basel, den 12. Januar 1934. Kaufmann Karl.«

★

Schweizerischer Polizeianzeiger, Bern: »Es lassen die Nebenumstände des Stuttgarter und des Basler Banküberfalls einen Zusammenhang immerhin möglich erscheinen, obschon die vorhandenen Gestaltsbezeichnungen über die Täter in wesentlichen Punkten auseinandergehen. Zudem haben die Sachverständigen festgestellt, daß in Stuttgart alle Schüsse aus einer Waffe abgegeben, in Basel aber aus zwei verschiedenen Waffen geschossen wurde, und daß Identität zwischen der Stuttgarter und den Basler Pistolen nicht besteht. Alle drei Waffen sind Selbstladepistolen Kaliber 7,65 mm, deren System jedoch mangels genügender Merkmale nicht feststellbar war. Als festgestellt kann jedoch gelten, daß es sich um zwei jüngere Männer handelt, von denen der eine etwas größer ist als der andere, daß beide rasche und gewandte Bewegungen haben und entschlossen sind, ›aufs Ganze‹ zu gehen.

Wenn die Annahme eines Tatzusammenhangs zwischen Stuttgart und Basel richtig ist, wird damit zu rechnen sein, daß die Räuber bald wieder unter ähnlichen Umständen in anderen Städten auftreten, da sie in Basel nur etwa 350 Franken Silbergeld erbeuteten. Es wird deshalb um besondere Beachtung dieser Vorgänge und schleunigste Mitteilung sachdienlicher Wahrnehmungen an Kriminalpolizei Stuttgart und Basel gebeten. In beiden Fällen sind für Aufklärung der Verbrechen hohe Belohnungen ausgesetzt.«

★

Der Banklehrling Werner Siegrist hat es schwer in den Tagen nach dem Banküberfall. Tag und Nacht fahren Seitenwagen-Motorräder der Polizei bei seinem Elternhaus vor, um ihn für eine Gegenüberstellung mitzunehmen. Man schleppt ihn von der Arbeit weg, und fast jede Nacht wird er aus dem Schlaf gerissen. Er verliert den Appetit, leidet unter Schlaflosigkeit und wird schwermütig. Als aber eines Abends Familie Siegrist beim Abendessen in der Küche sitzt und es schon wieder an der Wohnungstür klingelt, faltet der Vater seine Serviette nach Art des gewissenhaften Eisenbahners, der er ist, legt sie auf den Tisch und sagt: »So, jetzt ist aber Schluß. Der Bub fängt mir ja noch an zu spinnen.« Er geht zur Tür und schickt den Polizisten weg, und als dieser ihm mit Drohungen kommt, wird Vater Siegrist laut und zeigt dem Beamten mit ausgestrecktem Arm, wo der Zimmermann das Loch gemacht hat. Am nächsten Morgen verreist Lehrling Siegrist per Bahn zur Kur nach Montreux, wo die Eisenbahnergewerkschaft ein Hotel betreibt. Die Kosten übernimmt die Wever-Bank.

★

Samstag, dreizehnter Januar 1934. Dorly muß Überstunden abbauen und darf nicht zur Arbeit gehen. Das kommt ihr ungelegen, denn im Globus verginge die Zeit schneller als zu Hause bei der Mutter. In drei Stunden wird es genau eine Woche hersein, seit Kurt Sandweg und Waldemar Velte abgereist sind. Da schellt im Flur die elektrische Glocke. Dorly und ihre Mutter haben kein eigenes Telephon, aber sie dürfen gegen ein geringes Entgelt jenes der Familie Herzog im dritten Stock benützen. Erst kürzlich hat Dorly das Läutewerk im Flur einrichten lassen, damit die Herzogs sie ohne unnötiges Treppenlaufen ans Telephon rufen können.

Dorly steigt die Treppe hoch. Sie wird nicht sehr oft angerufen. Meist sind es Arbeitskolleginnen, für die sie einen freien Tag opfern soll. Aber diesmal ist Waldemar am Apparat. »Velte sagte mir, sie seien wieder in Basel. In Spanien habe man sie auch in einem zweiten Anlauf nicht einreisen lassen, da sie kein Visum hätten vorzeigen können. Dieses müßten sie jetzt in Berlin einholen. Wir verabredeten uns für 14 Uhr beim Brausebad, wo wir uns auch trafen. Dann gingen wir spazieren wie gewohnt.«

13. Kapitel

»Fräulein Dorly, wo ist eigentlich in Basel der Friedhof?«

»Es gibt mehrere. Sehr berühmte Leute werden im Münster beigesetzt.«

»Und normale Menschen?«

»Auf dem Hörnli-Friedhof. Der ist aber weit weg. Immer flußaufwärts bis zur deutschen Grenze.«

»Wollen wir hingehen?«

»Nein, das wollen wir nicht!« Kurt Sandweg dreht sich heftig um und hebt die flache Hand wie ein Verkehrspolizist. »Nicht wahr, Fräulein Dorly, das wollen wir nicht?«

★

»Es war dies das erste Mal, daß ich Sandweg so aufbrausend erlebte. Da aber Velte von seinem Wunsch, den Hörnligottesacker zu besichtigen, nicht abzubringen war, führte ich die beiden hin. Wir liefen lange zwischen den Grabreihen hindurch, das Hörnli ist ja der größte und modernste Friedhof der Schweiz. Mir fiel auf, daß Sandweg ungewöhnlich beklommen schien, während Velte aufgeregt und fröhlich war. Er zeigte großes Interesse für alle möglichen Grabsteine, blieb stehen und las

Sandweg und mir Grabinschriften vor. Manche fand er
sehr lustig, so daß er lachen mußte und sich kaum mehr
beruhigen wollte. Einmal sagte er, am Hörnli möchte er
begraben sein, dann wäre er mir immer nahe.«

★

Am sechzehnten Januar 1934 befreien Bonnie Parker
und Clyde Barrow unter Einsatz von Maschinengewehren die Gangster Ray Hamilton und Henry Methvin aus
der Eastham Prison Farm, Texas. Dabei erschießt Clyde
einen Wärter, der ihre Flucht zu verhindern sucht.

★

Kurt und Waldemar nehmen ihren Basler Alltag wieder
auf. Mittags besuchen sie Dorly im Globus und kaufen
eine Schallplatte; den Nachmittag verbringen sie auf
ihrem Zimmer und spielen auf dem Reisegrammophon
eine Platte um die andere ab; bei Anbruch der Dunkel-
heit nehmen sie in ihrem Stammlokal, dem Restaurant
»Markthalle« beim Centralbahnhof, ein frühes Abendessen ein. Bei Ladenschluß stehen sie auf dem Marktplatz an der Litfaßsäule und warten auf Dorly, und dann
gehen die drei am Rhein spazieren. Das geht so am
Montag, Dienstag, Mittwoch und Donnerstag. Auch der
Freitag, neunzehnte Januar, folgt dieser Routine – aber
nur bis um achtzehn Uhr dreiundzwanzig.

Zu diesem Zeitpunkt ist Detektivkorporal Hans Maritz
auf Zivilstreife am Centralbahnhof unterwegs. Er hat
sich vor den Fahrkartenschaltern in der längsten Schlange angestellt, um unauffällig nach zwei jungen Burschen

Ausschau zu halten, von denen der eine etwas größer ist als der andere und die entschlossen scheinen, aufs Ganze zu gehen. Maritz gilt »dank seinem Spürsinn als einer der besten baslerischen Kriminalbeamten«, wie Pfarrer Hans Baur eine Woche später bei der Totenfeier am Hörnli es ausdrücken wird. Einem aufmerksamen Beobachter würde auffallen, daß Maritz als einziger in der ganzen Bahnhofshalle ein Hemd mit altmodischem Stehkragen trägt. Maritz ist kinderlos verheiratet und fünfundvierzig Jahre alt, ältester Sohn eines Monteurs am Basler Gaswerk, gelernter Mechaniker, seit zwanzig Jahren Polizist und Oberschützenmeister der Polizeischützen. Immer weiter rückt er in der Schlange vor. Als er vor dem Fahrkartenschalter steht und die Reihe an ihm wäre, schert er aus und geht hinüber zum Kiosk. Dort bemerkt er »… zwei verdächtige Individuen, auf die das Signalement der Wever-Bankräuber hätte zutreffen können und von denen der größere eine Tafel Schokolade kaufte. Bei der nachfolgenden Personenkontrolle stellte ich fest, daß es sich um deutsche Staatsbürger handelte, und nahm sie zur Überprüfung auf den Posten der Bahnhofpolizei mit. Da sie sich aber ordnungsgemäß ausweisen und den Zweck ihres Aufenthalts in Basel (Geschäftsreise im Baugewerbe) einwandfrei darlegen konnten, hatte ich keinen Anlaß zu weiteren Überprüfungen.«

★

Auf dem Marktplatz regnet es in Strömen. Dorly steht seit zehn Minuten bei der Litfaßsäule unter ihrem Regenschirm und wartet. Endlich kommen Kurt und Walde-

mar angerannt, quer über den Platz und mit fliegenden
Mantelschößen.

»Fräulein Dorly! Gott sei Dank, Sie sind noch da!«

★

»Sie waren stark erregt und erklärten, sie seien am Centralbahnhof von der Polizei angehalten, auf den Posten
genommen und zur Vorweisung ihrer Reisepässe veran-
laßt worden. Es sei aber alles in Ordnung befunden worden, man habe sie unbehelligt gelassen. Trotzdem sei es
eine peinliche und unangenehme Sache gewesen. Daß sie
an jenem Abend Schokolade bei sich hatten, kann ich
bestätigen. Sandweg bot mir davon an, ich lehnte aber ab,
weil mir Süßes grundsätzlich zuwider ist. Es war, wenn
ich mich recht erinnere, eine Nußschokolade von Lindt
in blauweißer Verpackung. Velte sagte, sie müßten jetzt
so schnell als möglich nach Berlin fahren, um ihre Visa
für eine neuerliche Reise nach Spanien einzuholen, wenn
möglich noch am selben Abend, sonst am nächsten Morgen in der Früh.«

★

Die Züge nach Deutschland gehen nicht vom Centralbahnhof ab, sondern vom Badischen Bahnhof am nördlichen Stadtrand. Waldemar und Kurt drängen sich links
und rechts unter Dorlys Schirm. Sie überqueren den
Rhein auf der Mittleren Brücke, gehen vorbei an der
Klarakirche und geradeaus weiter bis zum Badischen
Bahnhof. Waldemar und Dorly setzen sich unter den
gewaltigen Bögen der Schalterhalle still auf eine Bank,
und Kurt tut geschäftig, notiert Abfahrtszeiten, kauft

Fahrscheine und Reiseproviant und wechselt Geld. Ihr Zug fährt am nächsten Morgen um acht Uhr fünfundvierzig.

»Ich wunderte mich, daß Sandweg Fahrkarten nach Köln kaufte, da dies meines Wissens nicht am Weg nach Berlin liegt. Auf meine diesbezügliche Frage sagte mir Velte, sie müßten zuerst nach Hause fahren, da sie fast kein Geld mehr hätten und er dem Vater Bericht erstatten müsse. Weil starker Regen fiel, verblieben wir über 2 Stunden am Badischen Bahnhof in der Eingangshalle. Später begaben wir uns nach der Pension an Sperrstraße 83, wo ich dann ein erstes und einziges Mal mit ihnen aufs Zimmer ging. Sie packten ihre Sachen in die Koffer, und nach etwa 20 Minuten Zimmeraufenthalt entfernten wir uns. Die beiden begleiteten mich auf dem Heimweg; an der Schifflände aber verabschiedete sich Kurt Sandweg mit Hinweis auf den starken Niederschlag. Velte begleitete mich weiter. Tramfahren wollte er nicht, überhaupt sind wir nie Tram gefahren, sondern immer zu Fuß gegangen, auch bei der größten Kälte, bei Regen und Schnee. Vor der Tür unseres Hauses an der Palmenstraße 23 nahmen wir Abschied, wobei Velte weinen mußte. Ich tröstete ihn mit aufmunternden Worten. Zu körperlichen Zärtlichkeiten ist es auch bei dieser Gelegenheit nicht gekommen, auch hat Velte diese nie von mir gefordert. Ich anerbot ihm meinen Regenschirm, er lehnte ab und meinte, er könne mir denselben doch nicht mehr zurückbringen. Ich gab ihm den Rat, den Schirm mitzunehmen und in der Pension zu deponieren, wo ich ihn gelegentlich holen werde. Das hat er dann getan.«

14. Kapitel

Im Morgengrauen hört der Regen auf, und aus den Kanalisationsschächten steigt Nebel. Ein dicker Mann mit Schirm und Melone schnauft durch Kleinbasel, vor ihm her läuft ein hagerer Polizist in Uniform. Das sind Detektivkorporal Jakob Vollenweider und Polizeimann Alfred Nafzger, die von Hotel zu Hotel und von Pension zu Pension ziehen auf der Suche nach den zwei Bankräubern. Vollenweider hat Mühe, mit Nafzger Schritt zu halten. Er ist zwanzig Jahre älter, fünfzig Kilogramm schwerer, hat dreiundzwanzig Dienstjahre mehr auf dem Buckel und leidet an einem Magengeschwür, das ihm in einem Jahr oder zweien den vorzeitigen Ruhestand einbringen soll. Nafzger hingegen steht am Anfang seiner Laufbahn. Er ist gelernter Kellner und hat sich in nur vier Jahren bei der Polizei zum Präsidenten des Basler Polizeimännervereins hochgedient. Bei den letzten Lohnverhandlungen allerdings hat er sich bei den Kollegen unbeliebt gemacht, weil er zu viel Verständnis für die Arbeitgeberseite zeigte.

Seit dem Überfall auf die Wever-Bank sind alle verfügbaren Polizisten im Dauereinsatz. Sämtliche Gasthäuser werden systematisch kontrolliert, Bahnhöfe, Zollstationen und Wechselstuben stehen unter ständiger Bewachung. Hunderte von Männern werden über Stunden oder auch Tage verhört, weil sie jung sind oder arbeitslos oder etwas kleiner oder etwas größer als irgend jemand. Die Polizei tut, was sie kann, aber in den Zeitungen tauchen die ersten Leserbriefe auf.

»Quo vadis, Basler Polizei? Seit über zwei Wochen spazieren die Wever-Bankräuber durch unsere Stadt und lassen es sich gutgehen mit dem Blutgeld. Und was tut unsere Polizei? Sie verteilt Parkbußen an unbescholtene Bürger.«

Die kommunistischen und sozialdemokratischen Zeitungen werfen der Polizei vor, daß sie auf demonstrierende Proletarier einprügle, wirkliche Mörder und Räuber aber laufenlasse. Die bürgerlichen Zeitungen fordern schärfere Ausländergesetze, härtere Strafen für Eigentumsdelikte und Aufrüstung der Polizei. Das nun scheucht die Politiker auf, und so hagelt es im Großen Rat Interpellationen, Postulate und Motionen. Das wiederum beunruhigt Polizeidirektor Carl Ludwig, der um seine Wiederwahl fürchtet. Er fordert von seinem Korps ultimativ die Festnahme der Bankräuber.

An jenem Morgen des zwanzigsten Januar 1934 haben Detektivkorporal Vollenweider und Polizeimann Nafzger bereits eine Pension an der Haltingerstraße überprüft. Jetzt geht es um zwei Ecken zur Pension der Hedwig Vetter an der Sperrstraße 83 – eine »ziemlich zweifelhafte Absteige«, wie sogar die sozialdemokratische Arbeiter-Zeitung schreiben wird. Allein in der letzten Woche hat die Polizei hier zehn verdächtige Individuen ausgehoben.

»Ich habe zur Polizei keine guten Beziehungen«, wird Hedwig Vetter zu Protokoll geben. »Ich glaube sogar, die Polizei haßt mich. Ich betreibe meine Schlaf- und Kostgängerei seit zwanzig Jahren; bis vor sechs Jahren hatte ich manchmal einen Polizeimann bei mir in Kost, seither nicht mehr.« Sie ist schon dreimal straffällig geworden wegen Nichtanmeldens von Pensionären.

Widerwillig öffnet die Wirtin den Polizisten die Tür. In Morgenrock und Lockenwicklern führt sie Vollenweider und Nafzger die Treppe hoch. »Ich wollte die Beamten als erstes zu Zimmer zwei führen, wo die beiden Deutschen logierten, die meine nobelsten Gäste waren.« Die Polizisten aber gehen systematisch vor und klopfen als erstes bei Zimmer eins an. Es öffnet Friedrich Seitz, 52 Jahre alt und Badischer Staatsangehöriger, Schausteller und Hausierer ohne festen Wohnsitz. Seitz hat ein Rasiermesser in der Hand und das Gesicht voller Schaum. Hedwig Vetter: »Detektiv Vollenweider frug Seitz, wer er sei, und Seitz antwortete, ich bin Fritz Seitz. Hierauf sah Vollenweider im Fahndungsregister nach und sagte darauf zu Seitz, Sie müssen dann mit auf den Posten.«

Seitz ist polizeilich bekannt. Letztmals wurde er am 30. Oktober in Zürich aufgegriffen und zum sechsten Mal des Landes verwiesen. An der Zürcher Kuttelgasse hat er eine Geliebte namens Lina Hottinger, die ihn gerne heiraten möchte; ihretwegen reist er immer wieder ein.

Detektivkorporal Vollenweider geht weiter zu Zimmer zwei. Polizeimann Nafzger bleibt in Seitz' Tür stehen, um dessen Flucht zu verhindern. Vollenweider klopft an, klopft noch einmal und noch einmal, ruft: »Polizei! Machen Sie sofort auf!«

Endlich geht die Tür auf. Auf dem vorderen Bett sitzt ein großer junger Bursche, der nur mit der Hose bekleidet ist und gerade seine Schnürsenkel bindet. Bei der Tür steht, ebenfalls halb angezogen, ein kleiner Bursche mit grünen Augen. Vollenweider tritt ein und verlangt die Ausweispapiere. Der Große greift in die Innentasche des Rocks, der über der Stuhllehne hängt, und reicht ihm die Pässe. Während Nafzger im Gang aufpaßt, daß Schausteller Seitz nicht entwischt, fragt Vollenweider nach dem Beruf der beiden Herren: Hoch- und Tiefbauingenieure. Woher sie angereist kämen: aus Marseille. Da sieht Vollenweider, daß die Hand des großen Burschen in die äußere rechte Rocktasche gleitet. Der Detektiv stürzt sich auf ihn, brüllt: »Was – einen Revolver haben Sie auch noch!«, stößt den Burschen zurück aufs Bett und wirft sich auf ihn. Ob der plötzlichen Aufregung flieht Pensionsinhaberin Hedwig Vetter aus dem Zimmer. Polizeimann Nafzger hingegen stürmt hinein, um Vollenweider zu helfen. Das aber ist ein Fehler. Denn erstens sucht Schausteller und Hausierer Friedrich Seitz nun ungehindert das Weite, und zweitens kehrt Nafzger, als er ins Zimmer tritt, dem bei der Tür stehenden zweiten Verdächtigen den Rücken zu. Das verstößt gegen eine Grundregel bei Personenkontrollen: Verdächtige Individuen niemals aus den Augen lassen. Drei Schüsse gibt Waldemar Velte auf Nafzger ab und trifft ihn in Kopf, Rücken und Oberschenkel. Der Polizeimann taumelt zurück und stürzt an der Wirtin vorbei die Treppe hinunter, während

Velte die übrigen Kugeln auf Vollenweiders breiten Rücken abfeuert.

Vollenweider ist sofort tot und liegt schwer auf Sandweg. Der kann erst aufstehen, als Velte die Leiche von ihm hinunterschiebt. Der Detektivkorporal schlägt mit dem Kopf gegen die Wand, seine Melone wird eingedrückt, die Beine ragen über die Bettkante hinaus ins Zimmer und zucken noch ein paar Mal.

Polizeimann Nafzger ist auf der Straße angelangt. Sein Mund füllt sich mit Blut, vor den Augen wird ihm schwarz. An der Ecke zur Hammerstraße steht das Wirtshaus »Zum Goldenen Faß«, da will er sich einen Augenblick auf die Treppe setzen und ausruhen. Das Blut im Mund hindert ihn am Atmen. Er öffnet die Lippen und läßt es über Kinn und Uniform strömen.

»He! Wachtmeister! Sie bluten ja!«

Nafzger macht die Augen einen Spalt weit auf. Vor ihm steht ein kleines Männchen, ein Arbeiter, dem abgetragenen Anzug und den schlechten Zähnen nach zu urteilen. Der soll ihn in Ruhe lassen. Nafzger ist müde.

»Wachtmeister! Wachtmeister!«

Nafzger reißt sich zusammen. Um das Männchen loszuwerden, deutet er nach der Sperrstraße. »Revolver, die zwei, Revolver!«

Das Männchen – es heißt Friedrich Zwahlen, ist zweiundvierzig Jahre alt und von Beruf Fliesenleger – dreht sich um und sieht gerade noch, wie zwei junge Männer im Nebel verschwinden. Einen Augenblick zögert Zwahlen, ob er sich um den Polizisten kümmern oder die Verfolgung aufnehmen soll. Dann behält der Jagdinstinkt die Oberhand über den Helfertrieb. Er läßt Nafzger liegen, läuft durch die Sperrstraße und biegt in den Riehenring ein, er ruft und schimpft und verlangt von aller Welt, daß sie sich an seiner Jagd beteilige, und dabei geht ihm die Luft aus. Schon fürchtet er, daß ihm seine Beute entwischt sei. Aber da kommen ihm an der Ecke Amerbachstraße zwei Burschen entgegen. Gutangezogene junge Burschen. Zwahlen bleibt stehen, atmet tief durch, breitet die Arme aus und versperrt so den Gehsteig.

»Halt, meine Herren!«

Die Burschen bleiben stehen.

»Was wollen Sie?« fragt der größere und lächelt auf eine Art, die Zwahlen nicht gefällt. Er überlegt, was er auf die unverschämte Frage antworten soll; aber alles Überlegen vergeht ihm, als der lächelnde Bursche einen Revolver aus der Manteltasche zieht. Zwahlen erschrickt. Und dabei ahnt er nicht, welches Glück er hat, daß der kleine Bursche seine Pistole schon in der Pension der Hedwig Vetter leergeschossen hat.

»Los!« schreit der Kleine. Der Große drückt ab. Es gibt einen Knall, und Zwahlen liegt auf dem Gehsteig.

Fünf Minuten später lehnt er atemlos an einer Hauswand, umringt von Neugierigen. Einer zückt den Notizblock und spricht ihn an. Er ist Reporter bei der National-Zeitung, jung und ehrgeizig, mit flinken Nagetieraugen und gelben Raucherzähnen, und im Hutband steckt tatsächlich eine Karte, auf der in fetten Lettern »Presse« steht. Stoßweise gibt Zwahlen Auskunft, und genau so steht es tags darauf auch in der Zeitung.

»Geistesgegenwärtig schnellte ich mit dem Kopf zur Seite und erhielt einen Streifschuß aus 2 Meter Distanz.

Ich tat jedoch, als ob ich schwer getroffen wäre und ließ mich zu Boden sinken. Das war meine Rettung: Die Verbrecher glaubten offenbar, mich erledigt zu haben, und setzten ihre Flucht durch die Amerbachstraße fort.«

Eines aber verschweigt Zwahlen dem jungen Reporter. In der polizeilichen Befragung wird er sich erinnern, daß nach dem Schuß nur der kleine Räuber weglief. Der große aber sei stehengeblieben, habe auf ihn heruntergesehen mit gebleckten Zähnen und den Pistolenlauf auf dessen Kopf gerichtet. Zwahlens Schußwunde an der rechten Wange war alles andere als lebensbedrohlich, das war auf den ersten Blick ersichtlich. Auch wenn eindrücklich viel Blut floß, so sah es doch eher nach einem Schnitt mit dem Rasiermesser aus.

»Der große Räuber schimpfte mich einen Aufpasser, Besserwisser und Rechthaber und anderes mehr, an das ich mich nicht mehr erinnere. Er hielt mir vor, daß ich gescheiter zu Hause für meine Frau und meine Kinder sorgen würde, statt ihm hinterherzulaufen und den Helden zu spielen. Als ich ihm entgegnete, daß ich ledig und kinderlos sei, schrie er mich an, dann solle ich halt ins Wirtshaus gehen und einen Kaffeeschnaps saufen und der Kellnerin in den Hintern kneifen, worauf er auf dem Absatz kehrtmachte und seinem Spießgesellen hinterherlief.«

Dem Reporter von der National-Zeitung berichtet er weiter: »Sobald ich mich gesichert sah, erhob ich mich und setzte meinerseits mit blutüberströmtem Gesicht die Verfolgung fort.

Ich schrie nach Leibeskräften nach Polizei! Die beiden Burschen bogen nach rechts in die Hammerstraße ein und bemächtigten sich zweier dort stehender Fahrräder. Mit letzter Kraft rannte ich den Fliehenden nach, immer um Hilfe rufend, und konnte so die Passanten auf die Verbrecher aufmerksam machen, die aber, als sie meine Verwundung sahen, mich nur wie Ölgötzen anglotzten.

Erst an der Gottesackerstraße kam mir ein Polizist zu Hilfe, den ich rasch aufklärte und der mir nun die Verfolgung abnahm, begleitet von zahlreichen Passanten zu Fuß und zu Rad.«

★

Polizeimann Alfred Nafzger liegt im Operationssaal des Basler Bürgerspitals, wo vor zwei Wochen die Bankbeamten Beutter und Kaufmann operiert wurden. An seiner Seite steht Detektivkorporal Hans Maritz, der ein Signalement der zwei Gesuchten zu erstellen versucht. Er trägt sterile Kleider, Haube und Mundschutz wie ein Chirurg. Maritz ahnt nicht, daß er selber die beiden am besten beschreiben könnte, hat er sie doch vor kaum vierzehn Stunden auf den Posten mitgenommen und gewiß eine Viertelstunde lang gründlich befragt.

Die Narkoseschwester hantiert schon mit der Chloroformmaske, ihre Kolleginnen legen Instrumente bereit und stecken dem Patienten Infusionen. Der Chefarzt streift sich die Handschuhe über und mahnt zur Eile.

»... erhielt ich einen Schuß in den Rücken«, flüstert Nafzger. »Ich rannte sofort ins Treppenhaus und schrie um Hilfe. Ich glaube noch weitere Schüsse gehört zu haben; was weiter vorgefallen ist, weiß ich nicht. Auf welche Namen die Pässe gelautet haben, weiß ich nicht, weil Vollenweider sie nicht laut genug ausgesprochen hat.« Dann dreht der Anästhesist den Hahn auf. Alfred Nafzger, Präsident des Basler Polizeimännervereins und Vorstandsmitglied des Schweizer Polizeimännerverbandes, stirbt einen Tag später, ohne noch einmal das Bewußtsein erlangt zu haben.

15. Kapitel

An jenem Morgen kommt Hedwig Vetter nicht zur Ruhe. In ihrem besten Zimmer liegt ein toter Polizist. Das Treppenhaus ist voller Blut. Die Gäste sind von Pistolenschüssen aufgeschreckt worden. Manche packen eilig ihre Sachen, andere sind schon geflohen. Die Wirtin eilt durch die Korridore auf der Jagd nach ausstehenden Kostgeldern, und dabei schimpft sie auf alles mögliche, vor allem aber auf die Polizei. Um sieben Uhr dreiundvierzig läutet es an der Tür.

»Alles besetzt!« schreit Hedwig Vetter. Da poltert es, wie nur Polizisten poltern. Sie kramt ihren Schlüssel hervor und schließt auf. Das Beamtenrudel strömt herein, und die Wirtin schnaubt und deutet mit dem Kinn zur Treppe. Allen voran geht der Polizeiphotograph. Er macht Bilder vom toten Polizeikorporal Vollenweider, der noch immer mit eingedrückter Melone auf dem Bett liegt. Er photographiert die zwei aufgeklappten Koffer und das Reisegrammophon und den aufgespannten Damenschirm, den Dorly vor kaum acht Stunden Waldemar mitgegeben hat, und auf den Photos werden alle diese Sachen blaß und verloren wirken wie die Habseligkeiten von Verstorbenen. Dann sind die Kollegen von der Spurensicherung an der Reihe. Sie sammeln Fingerabdrücke und untersuchen die Betten, durchwühlen die Koffer und blättern im Schallplattenalbum.

»Chef! Sehen Sie mal her!« Einer streckt ein Automatenphoto in die Höhe. Es ist eines jener vierzehn Bilder, die Waldemar und Kurt im Photomatonkasten gemacht haben. Das Bild geht mit Sirene und Blaulicht ins Photolabor, und eine Stunde später liegt es auf jeder Polizeistelle, an jedem Grenzübergang und in jeder Redaktionsstube. Die Untersuchung der Patronenhülsen zu Füßen Vollenweiders ergibt, daß beim Überfall auf die Wever-Bank die gleiche Munition verwendet wurde. Unter den Matratzen kommen zwei graugrüne Regenmäntel und zwei Autobrillen zum Vorschein.

Sofort wird die gesamte Basler Polizei durch Kollektivalarm mobilisiert. Sämtliche dienstfreien Polizisten und Detektive werden in das Hauptquartier am Lohnhof befohlen und schwärmen von da in die Stadt aus. Die Grenzwächterschule im nahen Liestal stellt sich der Polizei zur Verfügung. Von Basel bis Belfort werden alle Grenzübergänge ins Elsaß in Alarmzustand versetzt, auf französischer Seite rückt die Garde Mobile mit Stahlhelmen und Karabinern aus, am deutschen Rheinufer patrouilliert berittene Polizei, und die Reichswehr ist aufgeboten. Die Grenze ist auf einer Länge von fünfzig Kilometern hermetisch abgeriegelt.

Ahnungslos verbringt Dorly Schupp den Samstag morgen in der Schallplattenabteilung des Globus. Es herrscht ziemlich viel Betrieb. Wahrscheinlich sind Waldemar und Kurt jetzt im Zug unterwegs, irgendwo zwischen Freiburg und Frankfurt. Bestimmt hat Kurt die Bekanntschaft eines Mädchens gemacht und steht mit ihr draußen im Seitengang, während Waldemar an seinem Fensterplatz sitzt und ins Land hinausstarrt.

Um elf Uhr übergibt Dorly die Kasse an die Mittagsvertretung und macht sich auf den Heimweg. Seit die Weihnachtszeit vorbei und die Mittagspause wieder länger ist, kocht die Mutter Mittagessen. Am Marktplatz steigt Dorly zuhinterst in die Straßenbahn. Im letzten Moment springt vorne beim Fahrer ein Zeitungsjunge auf.

»Extrablatt! Polizistenmord an der Sperrstraße!«

Dorly reckt den Hals. Links und rechts strecken die Fahrgäste Münzen in den Mittelgang, dann schlagen sie die Zeitung auf. Die Titelbuchstaben sind ungewöhnlich fett; auf diese Entfernung kann Dorly sie nicht lesen. In der Mitte des Blattes prangt ziemlich groß ein Bild. Der Zeitungsjunge verkauft links und rechts Zeitungen, immer abwechselnd links und rechts. Die fetten Lettern und das Bild kommen immer näher auf Dorly zu. Da sind zwei Köpfe auf dem Bild, zwei Männer, die schauen Dorly an in einer gewiß schon zwanzigfach gestaffelten Doppelreihe, immer größer werden die schwarzweißen Köpfe mit ihren nach hinten gekämmten Haaren und den lachenden Mündern, ein ganzer lachender Männerchor in Zweierkolonne, der Dorly entgegenkommt – und als Dorlys Vordermann das Extrablatt aufschlägt, kann sie über dessen Schulter hinweg auch die Bildunterschrift lesen: »Die Mörder.«

Dorly steigt aus der Straßenbahn und geht zu Fuß nach Hause. »Ich dachte mir aber, es müsse sich um einen Irrtum handeln, denn eine solche Tat traute ich ihnen nicht zu. Als ich zu Hause anlangte, fand ich bereits ein Extrablatt vor, woraus ich dann ersehen mußte, daß die beiden tatsächlich die Mörder sein müssen. Ich sagte zu meiner Mutter, ich betrachte es als meine Pflicht, der Polizei all mein sachbezügliches Wissen bekanntzugeben. Meine Mutter pflichtete mir bei, und ich stand eben im Begriff, das Nötige vorzukehren, als gerade Detektivkorporal Maritz vorfuhr und mich abholte.«

Hans Maritz ist durch Zufall auf Dorly Schupp gestoßen. Er hat am Morgen die Runde durch die Restaurants und Hotels am Hauptbahnhof gemacht und den Kellnerinnen das Bild von Sandweg und Velte gezeigt. »Im Restaurant ›Markthalle‹ stellte ich fest, daß die zwei Mörder dem Wirt und sämtlichen Kellnerinnen als Gäste gut bekannt waren, da sie fast täglich in der ›Markthalle‹ gesessen hätten. Eine Kellnerin sagte weiter, daß ein Fräulein Schupp, Aushilfsverkäuferin im Globus, die aber das Wirtshaus nie betreten habe, noch besser in der Lage sei, Auskunft zu geben, da sie sich häufig mit den zwei Deutschen treffe.«

Und so sitzt Dorly Schupp um zwölf Uhr mittags auf dem Polizeikommando und erzählt alles, was sie über Kurt Sandweg und Waldemar Velte weiß. »Bei mir war nie der Verdacht aufgekommen, die beiden könnten mit den Bankräubern identisch sein. Meine Mutter war weniger erstaunt; sie hatte immer geglaubt, es handle sich um Mädchenhändler. Es ist richtig, daß ich mit den beiden befreundet bin. Trotzdem macht es mir keine Gewissensbisse, der Polizei mitzuteilen, was ich über sie weiß. Ich lüge nicht und habe keine Geheimnisse. Wenn andere lügen, muß ich nicht mitlügen.«

Als Dorly das Protokoll durchgelesen und unterschrieben hat, darf sie gehen. Sie tritt hinaus auf den Flur, in dem die Radio- und Zeitungsreporter auf Neuigkeiten warten. Die Luft ist schwer von Tabakrauch, feuchten Mänteln und halbverdautem Wurstbrot mit Bier. Keiner von den Reportern wird auf Dorly Schupp aufmerksam, denn sie alle sind heute auf Männer eingestellt: auf Staatsanwälte und Detektive, Bösewichte und Helden, verletzte, unversehrte und tote. Ein Weib wäre nur interessant, wenn es den süßen Geruch von Angst und Verzweiflung ausströmte, den Polizistenwitwen und Gangsterliebchen gemeinsam haben.

Ereignislos vergeht Stunde um Stunde auf dem Kommissariat. Der Wurst- und Biernebel wird immer dichter, die Reporter werden ungeduldig. Aufgeregt und blasiert und gelangweilt, wie es ihre Art ist, steigen sie jedem auftauchenden Polizisten hinterher.

»Gibt es etwas Neues?«

»Hat sich die Spur nach Kleinhüningen konkretisiert?«

»Und der Hinweis auf Reinach? Auch nicht?«

»Wie viele Polizisten sind im Einsatz?«

»Vierhundert? Und noch immer keine Spur?«

So geht das seit dem frühen Morgen. Mittag ist vorbei, und noch immer gibt es keine Neuigkeiten. Allmählich drängt die Zeit; um eins braucht das Radio etwas für die Mittagsnachrichten, die National-Zeitung hat um zwei Redaktionsschluß fürs Abendblatt, die Konkurrenz von den Basler Nachrichten eine halbe Stunde später, und die Arbeiter-Zeitung noch einmal eine halbe Stunde später. Jetzt muß unbedingt etwas geschehen, und weil nichts geschieht, tun die Reporter, was alle Reporter überall auf der Welt in derartigen Notlagen tun – sie interviewen sich gegenseitig. Der einheimische Lokalreporter bittet den Korrespondenten des Petit Parisien um eine Einschätzung der Lage; als Gegenleistung liefert er ihm auch eine, und dann eilen beide ans Telephon, um die neugewonnenen Erkenntnisse an ihre Redaktion weiterzuleiten. Dann ist die dringendste Pflicht erfüllt, und es wird ruhig im Flur. Manche Reporter sind schon halbwegs betrunken und stehen dösend an die Wand gelehnt, andere lesen das Konkurrenzblatt, nicht ohne verächtlich die Lippen zu schürzen. Wieder andere stehen zusammen und tauschen Zigaretten und Journalistenklatsch, und allmählich macht sich eine recht angenehme, südländisch-schläfrige Atmosphäre breit – da schrillen die Glocken im ganzen Haus. Das bedeutet, daß der Staatsanwalt Alarm geschlagen hat. Sofort geht es um wie ein Lauffeuer: »Die Bankräuber sind gesehen worden! Irrtum ausgeschlossen! Acht Kilometer außerhalb der Stadt! Bei der Ruine Tschäpperli, bei Dornach!«

16. Kapitel

Jetzt trampeln im Lohnhof Polizistenstiefel durch die Gänge. Waffenschränke fliegen auf, Karabiner und Stahlhelme werden verteilt, Polizeihunde aus den Zwingern geholt. Jedes verfügbare Auto, jeder Lastwagen, jedes Motorrad wird mit Polizisten beladen und fährt los ins Basler Hinterland.

Zurück bleiben die Journalisten, die ihre Wurstbrote und Bierflaschen in den Papierkorb werfen und vergeblich um eine Mitfahrgelegenheit betteln. Erst als die ersten Bürger eintreffen, die der Polizei freiwillig ihre Privatautos für die Verbrecherjagd zur Verfügung stellen, erlaubt der Staatsanwalt den Journalisten zuzusteigen – allerdings auf eigene Rechnung und eigene Gefahr.

Der junge Reporter von der National-Zeitung ergattert einen Platz auf dem Rücksitz eines Opel, der mit drei Detektiven in den Jura fährt. »Wir rasen das Birsigtal hinauf nach Ettingen. Von dort führt unser Weg bergauf durch den Wald, auf lehmweichem, glitschigem Boden klettert das Auto bergan. Unsere drei Detektive haben Befehl: Spur von Ruine Tschäpperli weg verfolgen. Beim Blockhaus auf der Felsspalte stoppen wir. Wir entsichern unsere Waffen. Zunächst untersuchen wir das Blockhaus – alles in Ordnung – Türen und Fenster hermetisch verschlossen. In großem Umkreis suchen wir die Gegend um das Blockhaus nach allfälligen Spuren ab – während einer von uns als Wachtposten beim Auto zurückbleibt. Auf der dünnen Schneedecke suchen wir eifrig nach Fußspuren – eine Viertelstunde lang streifen wir kreuz und quer, möglichst geräuschlos, durch den Wald. Plötzlich entdecken wir auf schmalem, abschüssigem Waldweg die frischen Spuren von zwei Menschen. Und wir alle sind nun überzeugt: Wir sind auf den Spuren der Mörder! Vorsichtig folgen wir dieser Spur, die zunächst steil abwärts führt. Wir gelangen zu einem weiten Schneefeld, das ringsum von einem Stacheldraht eingehagt ist. Dort verlieren wir vorläufig die Spur, finden sie aber bald wieder: Sie führt nun rechts den Wald hinauf.«

★

Es ist fünf Uhr abends, die Dämmerung legt sich übers Land. Während der junge Reporter hinter seinen drei Detektiven durch den Wald hetzt, betreten im nahe gelegenen Städtchen Laufen zwei junge Burschen mit lehmverschmierten Hosenbeinen und Schuhen das Restaurant »Zum Bahnhof«. »Guete-n-Oobe mitenand!« ruft der größere zum Stammtisch hinüber. Sie nehmen Platz. Der Große bestellt »zwäimoll Röschti mit Brotwurscht und eme griene Salat«. Nach dem Essen ruft er: »Kennt ich denn zahle, bittschön?« Dann verschwinden die beiden in die Nacht hinaus. Die Serviererin wird kurz darauf schwören, der Große könne unmöglich ein Deutscher gewesen sein, der habe ganz einwandfrei Baseldeutsch gesprochen. Über den kleineren könne sie nichts sagen, der habe die ganze Zeit geschwiegen.

★

Der Reporter der National-Zeitung pirscht noch immer »durch den stillen Wald – stets die Spur vor den Augen. Die Schneedecke wird immer dünner und durchsichtiger – vereist! und es wird dunkel. Immer schwerer werden die Spuren erkennbar – schließlich entschwinden sie ganz im Dunkel der Nacht. Was tun? Wir wissen ungefähr, in welcher Richtung Zwingen liegt. Dorthin wollen wir. Bergab stolpern wir über lehmig-weichen Boden, klumpenweise klebt der Dreck an den Stiefeln. Plötzlich menschliche Stimmen: Mit schußbereiter Waffe pirschen wir vorsichtig den Hang hinauf: ein Zigeunerlager! Es wird peinlich untersucht, unter lautem Geschimpfe der Nomaden. Unterwegs entdecken wir einen einsamen Bauernhof – die ›Rote Grube‹ –, eine Motorradpatrouille ist kurz vor uns dort vorbeigerast und hat die Bauersleute vor den Mördern gewarnt. Knechte zeigen uns den Weg ins Tal hinunter. Kurz vor Zwingen begegnet uns eine Autopolizeistreife – sie nimmt uns mit ins Dorf, wo wir auch unseren eigenen Wagen treffen, der mittlerweile dort angelangt war. Kurz vor sieben Uhr sitzen wir in einer kleinen Wirtschaft und stärken uns. Plötzlich stürzt schmutzbedeckt ein Polizist herein und stammelt in höchster Erregung: ›Jetzt haben sie noch einmal zwei Polizisten erschossen!‹«

★

Wenige Minuten zuvor hat sich ein Motorrad mit Seitenwagen dem Städtchen Laufen genähert. Am Lenker sitzt der sechsundfünfzigjährige Polizeidetektiv Walter Gohl, im Seitenwagen Detektivkorporal Hans Maritz, der in den letzten vierundzwanzig Stunden nacheinander Kurt Sandweg, Waldemar Velte, den schwerverletzten Polizeimann Alfred Nafzger und Dorly Schupp einvernommen hat. Fünfhundert Meter vor Laufen fährt das Motorrad an einem Steinbruch vorbei, der rechts im Dunkeln liegt. Hans Maritz, der in drei Monaten sein fünfundzwanzigjähriges Dienstjubiläum feiern will, glaubt im Steinbruch etwas Verdächtiges gesehen zu haben. Er fordert Gohl mit Handzeichen zum Umkehren auf. Das Motorrad wendet und fährt langsam auf den Steinbruch zu. Da fallen aus dem Dunkel fünf Schüsse. Die ersten zwei treffen Detektivkorporal Maritz in den Kopf. Er ist sofort tot. Der dritte Schuß zerschmettert Gohls Unterkiefer, der vierte und fünfte dringen in seine Brust ein.

17. Kapitel

Als die neue Bluttat bekannt wird, strömen überall die Menschen zusammen. Familienväter nehmen den Karabiner aus dem Kleiderschrank und legen bedächtig Patronen ein, während ihre Frauen die Fensterläden schließen. Vor jedem Polizeiposten versammeln sich Dutzende von Männern, bewaffnet mit Sensen, Heugabeln, Pistolen und Gewehren. »Nun wurde beschlossen, ohne jede Rücksicht auf diese Mordbuben Jagd zu machen«, notiert der Reporter der National-Zeitung. »›Lebend oder tot!‹ war die Parole.«

Das Städtchen Laufen wimmelt von Polizei. Am frühen Abend treffen zur Verstärkung Detachemente aus den Nachbarkantonen Bern, Baselland und Solothurn ein. Alle Hotels, Pensionen und Restaurants sind für die Polizei reserviert. In den Gassen hallt es von Hundegebell und gebrüllten Befehlen. Im Licht der Straßenlaternen blinken Gewehrläufe und Bajonette.

Um zehn Uhr abends ist das Gebiet um Laufen in einem Umkreis von fünfundzwanzig Kilometern hermetisch abgeriegelt. Alle Brücken sind streng bewacht, sämtliche Straßen gesperrt. Die Beamten haben Weisung, vorsichtshalber nicht mitten auf der Straße Posten zu beziehen, sondern im schützenden Dunkel von Hecken und Büschen.

Die Bürger gehen nicht mehr aus dem Haus angesichts der waffenklirrenden Invasion; wer sich aus irgendeinem Grund doch auf die Straße wagt, hat es auf Schritt und Tritt mit einer entsicherten Pistole und einem nervösen Uniformierten zu tun. Unglücklich sind vor allem die Kinder, daß man sie nicht ins Freie läßt; alle wollen sie Räuber und Gendarm spielen an jenem aufregenden Abend, und das macht in der Stube keinen rechten Spaß. Die größeren Buben allerdings lassen sich nichts mehr vorschreiben. Sie gehen erst recht in die gefährliche Nacht hinaus.

Der einundzwanzigjährige Franz Zellweger geht von der Villa seines Onkels über den gekiesten Vorplatz zur Garage. Er holt sein Motorrad hervor, das ihm Onkel Hans zum Abschluß der Unteroffiziersschule geschenkt hat — eine schwarze, zweizylindrige 750er BMW R16. Franz hat lange Beine, breite Schultern und weiße Zähne, und er ist der hoffnungsvollste Sproß einer wohlhabenden Laufener Fabrikantenfamilie. All das gefällt den Mädchen, und das weiß der junge Franz. Sein alternder Onkel Hans ist Besitzer einer Korkfabrik und weitverzweigter Tochterunternehmen, und kinderlos; er hat Franz nach dem Militärdienst zu sich an den Laufener Hauptsitz genommen, damit der sich unter seinen Augen vorbereite auf die Übernahme des Geschäfts. Franz Zellweger wirft die BMW an und fährt hinaus in die Nacht, um die Bankräuber dingfest zu machen. Wenn die Polizei dazu nicht in der Lage ist, muß er ihr eben ein wenig zur Hand gehen.

★

»Dieser Zellweger war ein Geck«, sagte mein Großvater fünfzig Jahre später mit ungewohnter Heftigkeit, nachdem ich meine Frage dreimal wiederholt hatte. Wir ernteten gerade die Boskop-Äpfel, seine Füße standen drei Leitersprossen über meinen Händen, und er hatte keine Fluchtmöglichkeit. »Ein Geck, weiter nichts. Ich habe ihn ganz gut gekannt, schließlich waren wir beide Turner, Sänger, freisinnig und, hmhm, aus gutem Haus. Ich will nicht sagen, daß er verdient hat, was ihm zugestoßen ist. Aber er war ein Geck. Ein Schönschwätzer mit viel Brillantine im Haar. Hat sich für einen Mädchenschwarm gehalten. Dabei mögen Mädchen solche Typen gar nicht. Glaub mir das.«

★

Am Stadttor wartet Franz Zellwegers bester Freund. Franz hält an und läßt ihn aufsteigen. Heute weiß niemand mehr, wer der Freund war und wie er hieß. Denn erstens wählen sich Burschen wie Franz Zellweger zum besten Freund meist eine unscheinbare Natur; und zweitens haben die Zeitungs- und Polizeischreiber aus Gründen des Persönlichkeitsschutzes seinen Namen verschwiegen und ihn einfach »Franz Zellwegers besten Freund« genannt.

An jenem Abend also fahren die zwei Freunde auf der BMW aus dem Städtchen und gelangen zum Kontrollposten, wo sie sich ausweisen müssen. Franz Zellweger steigt ab und verwickelt den wachhabenden Polizisten in ein Gespräch. Wie jeder wohlhabende Bürgersohn lebt er in dem Bewußtsein, daß alle Staatsangestellten von seinen Steuern leben und also genaugenommen seine persönlichen Mitarbeiter sind. Nach ein paar vertraulichen Sätzen schlägt er dem Polizisten, der vom Alter her sein Vater sein könnte, jovial auf die Schulter, verabschiedet sich mit aufmunternden Worten und kehrt zurück zu seinem Motorrad. In diesem Augenblick heult ein Blaulicht vorbei; das ist die Ambulanz, die den verletzten Detektiv Walter Gohl nach Basel ins Bürgerspital fährt. Hans Maritz' Leiche liegt noch immer im Steinbruch.

Franz Zellweger und sein bester Freund brechen auf und fahren am Steinbruch vorbei. Nach hundert Metern Fahrt entdeckt Franz ein schwarzes Auto, das halb verdeckt im Gebüsch steht. Er hält an und leuchtet mit dem Scheinwerfer hinüber. Im Auto sitzen zwei Zivilisten. Franz Zellweger stellt den Motor ab, läßt seinen Freund absteigen, hievt die Maschine auf den Mittelständer und steigt selbst ab.

»Hände hoch!« ruft aus dem Wagen Polizeimann Heinrich Stehlin. Franz Zellweger und sein bester Freund zögern einen Augenblick – da schießt Stehlin, denn die Einsatzleitung hat allen Beamten strikte Weisung erteilt, im Bedarfsfall unbedingt von der Schußwaffe Gebrauch zu machen. »Aah, Gopferdammi!« ruft Zellweger in eindeutig basellandschaftlichem Idiom und sinkt mit einem Lungendurchschuß zu Boden.

Als Polizeimann Stehlin seinen Irrtum erkennt, rennt

er in den nachtschwarzen Wald hinein und kehrt nicht wieder. Zwei Kollegen machen sich auf die Suche und finden ihn Stunden später in einer Kuhle am Fuß einer Fichte, wo er auf den Fersen sitzt, sich vor und zurück wiegt und heult.

Über Franz Zellwegers Bestattung schreibt die National-Zeitung vier Tage später:

»Es war ein unvergeßlich rührender Anblick, den unglücklichen Polizeimann, der den verhängnisvollen Schuß abgegeben hatte und der trotz seiner Nervenkrise am Grabe erschienen war, in den Armen der Angehörigen des Verblichenen, aufgelöst in Tränen, sein unaussprechliches Weh ausweinen zu sehen.«

★

Mein Großvater kannte sich nicht nur bei Autos, sondern auch bei Motorrädern aus. »Die BMW R16 war ein Luxusgefährt, mußt du wissen. Typisch für den Zellweger. Kostete 2040 Mark, und das während der Depression. Nur 1106 Stück hat BMW davon in fünf Jahren produziert und verkauft. Gefallen hätt's mir natürlich auch. Zweizylinder-Boxermotor mit obenliegenden Ventilen, 25 PS, Höchstgeschwindigkeit 140 Stundenkilometer. Mit dem Nachfolgemodell R12 sind die Deutschen übrigens in den Krieg gezogen. Allein an die Wehrmacht hat BMW 16500 Stück geliefert. Die meisten sind im russischen Morast steckengeblieben. Gut für die Russen und uns alle, schade um die Motorräder.«

★

Nach den tödlichen Schüssen im Steinbruch befiehlt die Einsatzleitung sicherheitshalber alle fliegenden Patrouillen ins Nachtquartier. Die Jagd wird bis Tagesanbruch ausgesetzt, nur die Blockade bleibt aufrecht. Die Offiziere ziehen sich in ihre Hotelzimmer zurück, die Mannschaften legen sich in Turnhallen und Pferdeställen schlafen, und die Hunde rollen sich ein und stecken die Schnauze ins Fell.

18. Kapitel

Sonntag, einundzwanzigster Januar 1934, acht Uhr. Der Morgen graut, Laufen erwacht. Genagelte Polizisten-stiefel poltern übers Kopfsteinpflaster, Motoren laufen warm, es riecht nach Kaffee in Blechtassen. Auf dem Feld vor dem Städtchen steht ein Doppeldeckerflug-zeug, dessen Propeller den Rauhreif von den Gras-halmen reißt und hochwirbelt. Vor der Maschine stehen zwei Polizeioffiziere und der Pilot. Die Polizisten grü-ßen militärisch, der Flugpionier tippt nachlässig an seine Ledermütze, klettert in die Kanzel und zieht am Gas-hebel. Der Doppeldecker holpert über die Wiese und hebt ab, zieht eine Schleife über dem Städtchen und fegt dicht über die Wipfel eines Tannenwäldchens hinweg. Die Tannen biegen sich, Schnee fällt hinunter auf den Waldboden, auf dem Kurt Sandweg und Waldemar Velte schlafen. Sie liegen Bauch an Rücken auf Walde-mars Mantel, Kurts Mantel dient ihnen als Decke. Der von den Wipfeln fallende Schnee weckt Waldemar. Er löst sich aus der Umarmung seines Freundes, kriecht zwischen den Mänteln hervor und zieht ein kleines schwarzes Wachstuchheft aus der Tasche.

»Letzter Tag meines Lebens – Sonntag, 21. 1. 1934. Es ist im Moment 8¹⁰ Uhr. Nach übermenschlichen Strapazen, halbverhungert, todmüde, sind wir 2 in Laufen angelangt. (Gestern abend.) Holten hier eine Kleinigkeit zu essen und waren dann auch gleich erkannt. Sehr zum Nachteil zweier Polizisten. Haben dann im Wald bei Frost übernachtet, nachdem wir eingesehen hatten, daß ein Fortkommen unmöglich war. Wir rechneten also mit dem Tod. Es war uns schon recht, er bedeutete für uns das höchste Glück. Endlich werden wir aus diesem Jammer und Elend erlöst. Es mußte ja alles so kommen.

Wir 2 sind von Natur aus mit einem feinen Rechtsempfinden begabt und haben uns früh bemüht, logisch zu denken und konsequent zu handeln, anstatt immer im Lauf der Jahre unser feines Gewissen zu ersticken, wie es die liebe menschliche Gesellschaft muß, um leben zu können.

Wir haben unser Rechtsempfinden und Suchen nach objektiver Wahrheit noch vertieft, und ebensolche Denkart, die zudem die einzig richtige ist, mußte uns zwangsläufig mit der ›lieben menschl. Gesellschaft‹ in Konflikt bringen. Wir waren uns über unseren Weg ganz im klaren.

Der bisherige Verlauf unserer Handlungen und die sich daraus ergebenden Folgerungen sind nicht immer ein Zoll anders. Wir haben also nichts zu bereuen und sind auch nicht enttäuscht. Ganz im Gegenteil, wir sind erfreut, daß wir die Kraft hatten, für den einzig wahren Lebenszweck zu kämpfen. Wir werden nicht noch einmal in diese Hölle, genannt ›Welt‹, zurückkehren müssen. Wir werden erlöst werden.

In dem Maße, wie man den Finger gegen uns gehoben hat, um ein Mehrfaches werden sie leiden müssen. Wer das Gute und Ideale hütet, der tötet Gott. Also, Ihr Herren Staatsführer, Juristen, Staatsanwälte, Richter, Polizeipräsidenten, habt Ihr schon einmal darüber nachgedacht, daß Ihr für Euren Beruf mal schrecklich leiden müßt, daß Ihr noch sehr oft auf diese ›schöne‹ Erde zurückkommen dürft? Hättet Ihr auch nur ein wenig natürlichen Verstand, Ihr würdet über Euch weinen. Auch Ihr müßt mal unsern Weg gehen! Das ist so sicher wie ein Evangelium. Viel Glück, Ihr Schwerst-Verbrecher, ein harmloses Wort für Leute von Eurem Schlag. Nur schade, daß Ihr uns noch nicht über den Weg gelaufen seid, Ihr Schlauberger, wir hätten uns gerne etwas über Politik unterhalten, ›tüchtige Männer‹! Aber werdet schon Eure Qualen haben! Ein Naturgesetz. Es bringt zum Nachdenken und damit zur richtigen Erkenntnis!

Wir haben es hinter uns. Wenn weniger Menschen auf der Welt wären, ließe es sich noch leben; aber überall, wo die erbärmliche Kreatur Mensch ihre Hand im Spiel hat, da ist alles verhunzt und verhauen. Nicht genug, daß sie sich selbst der ärgste Feind sind, nein, der schönste Flecken Natur ist ihnen nicht heilig für ihre Schandtaten. Und dabei fällen sie durch ihr Verhalten sich selbst den Richterspruch. Ihr Leben und Ende richtet sich ganz nach ihrem Verhalten. Je unnatürlicher ihr Leben, je unnatürlicher ihr Ende. Sie werden alle noch oft wiederkommen müssen, bis sie die richtige Erkenntnis besitzen.

Wie man sich bettet, so schläft man.

Anstatt ihren Verstand dazu benützen, sich zu erlösen,

haben sie sich eine Welt des Scheins, des Wahnsinns auf-
gebaut, an dem sie eines Tages alle zugrunde gehen müssen. Eben weil bisher zuwenig Menschen da waren, die
bereit waren, für ihre Erkenntnis das Leben zu lassen,
eben deswegen sind sie alle heute so schlecht und von
dem wahren Lebensziel weiter denn je entfernt. Aber sie
müssen ihren Weg gehen; und wären sie vernünftig, sie
würden dafür sorgen, daß er so kurz wie möglich ist.
Aber Irrsinn regiert die Welt. Auf der einen Seite baut
man Kunstpaläste, auf der andern Seite hungern und
darben unzählige Tausende und verkommen im größten
Elend. Hier rächt sich schon die Unnatürlichkeit der
Masse, denn wäre sie auf dem rechten Weg geblieben, die
Herren ›Volksführer‹, besser -verführer hätten nie ge-
wagt, so frevelhaft an der Natur zu sündigen. Man hätte
sie kurzerhand umgebracht. Im Gegenteil, sie ist so
wahnsinnig, Leute, die gegen solche Schandtaten sich
widersetzen, und damit auch für Wohl auf Umwege ein-
treten – zu verfolgen – und festzunehmen – alles wegen
der ›lieben Gerechtigkeit‹ in Gestalt einer Belohnung.

Ihr dummen Polizeibeamten – wißt Ihr jetzt, welches
Verbrechen Ihr an Euch begangen habt?? Daß Ihr prak-
tisch nichts anderes tut, als ja Sorge zu tragen, daß Euer
Ende wahnsinnig ausläuft? Ihr solltet Euch lieber auf-
hängen, als das Werkzeug von ›Kreaturen‹ zu sein, die
Euch und Euresgleichen täglich belügen und betrügen.
Aber auch Euch bleibt der jammervolle Weg nicht ver-
schont, den Eure ›Meister‹ gehen müssen.«

Dann beginnt Waldemar Velte eine neue Seite.

»Bitte im Todesfall an meine Eltern in Wuppertal schicken.

Ihr Lieben! Meine Stunde hat nun bald geschlagen. Ich bin froh, ich habe die Menschen satt, und weil eben in der Hauptsache Menschen hier auf der Welt sind, hat sie auch keinen Reiz für mich mehr. Wie werdet Ihr über mich urteilen? Ich weiß es schon jetzt. Ihr habt mich ja nie verstanden. Zu Eurem Unglück, denn jetzt ist für Eure Begriffe etwas so Entsetzliches passiert, daß Ihr eigentlich nicht mehr weiterleben könnt. Es ist nicht meine Schuld. Ich kann nicht, mit Rücksicht auf Euch, etwas Falsches tun. Erzieht mir ja Hilde und Lothar in meinem Sinn auf, daß ihre Qualen kurz seien, sonst wird auch ihr Leben eine Dauer von Qual, Erniedrigung und Gemeinheit sein. Sie müssen ja doch einmal, wie Ihr, meinen Weg gehen. Also denkt daran. Wir sehen uns hier nicht mehr wieder. Ich werde immer um Euch rum sein! Auf ein besseres Leben im Jenseits. Lebt wohl!! Die ›Werkzeuge‹ sind schon ganz in der Nähe und suchen uns. Sie möchten die Belohnung verdienen, die Gerechten – es wird nicht so einfach sein. Lebt wohl. Grüßt alle Verwandten. Sie möchten nicht so leichtsinnig urteilen.«

Kurt Sandweg erwacht, während Waldemar Velte am Schreiben ist. Er läßt sich das Wachstuchheft und den Bleistift reichen.

»Liebe Mamma, Bald sind wir in einer besseren Stätte. Mach Dir nichts draus, wir gehen gerne, das weißt Du ja. Wir sehen uns dort wieder! Laß die Menschen reden; sie hätten besser helfen sollen, denn wir taten es nicht gerne.

Vielen Dank für alles Gute, leider kann ich es Dir nicht gutmachen. Dein Kurt«

Dann schreibt auch Waldemar Velte an Kurt Sandwegs Mutter.

»Liebe Frau Sandweg! Jetzt ist die letzte Stunde gekommen. Wir haben unseren Lebenszweck scheinbar erfüllt. So enden ideale Menschen! Oder man muß mit den Weltverbrechern ins selbe Horn blasen. Unsere Ehrlichkeit hielt uns hiervon ab. Wir sterben gerne. Diese Hölle bietet uns keinen Reiz. Vielen Dank für alles Gute, das Sie mir erwiesen haben. Ich hätte es gerne wieder gutgemacht. Es ist mir nicht vergönnt. So scheiden ich und Kurt von Ihnen in ewiger Erinnerung. Wir sehen uns alle auf einem besseren Stern wieder. Hoffentlich sind nicht so viele elende Menschen da. Auf Wiedersehen!«

Während Kurt und Waldemar auf den Ansturm der Uniformierten warten, geschieht am Waldrand etwas Erstaunliches: Die Soldaten brechen ihre Geschützstände ab, die Polizisten heben ihre Nagelbretter von der Straße auf, die Grenzwächter nehmen ihre Hunde an die kurze Leine, und dann steigen sie alle in ihre Autos, Motorräder und Lastwagen und fahren weg. Fort. Die Blockade ist aufgehoben. Die Einsatzleitung ist zu dem Schluß gekommen, daß den Bankräubern im Schutz der Nacht die Flucht durch den Polizeikordon gelungen sein muß.

19. Kapitel

Stunde um Stunde dreht der Doppeldecker seine Runden über dem Basler Hinterland; verbissen hält der Pilot Ausschau, begeht hin und wieder sogar kleine Grenzverletzungen hinüber nach Frankreich oder Deutschland. Immer weiter zieht er seine Kreise, aber von Sandweg und Velte ist nichts zu sehen.

★

Unten auf der Erde saßen Marie Stifter und Ernst Walder auf der Sitzbank vor der Post und folgten mit aufmerksamen Blicken dem Flugzeug. Für Marie war das Flugzeug der Feind, denn es verfolgte ihren Freund. Für Ernst war es der Freund, denn es verfolgte seinen Feind. Aber das hätten sie voreinander nie zugegeben.

Nach dem Verlobungskuß vor zwei Wochen hatte Ernst seine rituellen Mittagsbesuche wiederaufgenommen. Jetzt saß nicht mehr die Postmeisterin auf der Gartenbank neben Appenzellerhund Hasso, sondern Marie. Wenn Ernst sich ihr näherte, winkte sie ihm entgegen und lächelte pflichtgemäß; er winkte im Näherkommen zurück und bemühte sich um eine freundliche Miene. Wie stets kam ihre Unterhaltung nur schleppend voran, und immer wieder saßen sie minutenlang schweigend nebeneinander.

»Jetzt mußt du dann gehen«, sagte sie. »Zeit fürs Fußballtraining.«

Ernst schüttelte den Kopf. »Training fällt aus.«

»Aha.«

»Bis auf weiteres.«

»Schade.«

»Ich kann später noch lang trainieren.«

»Ja.«

»Vor der Messe habe ich mit einem der beiden Polizisten gesprochen, die die Dorfstraße bewachen. Die haben keine Ahnung, wie's weitergehen soll. Wissen nicht mehr ein noch aus.«

»Ah ja?«

»Hinweise bekommen die von überall her, nur sind alle falsch. Dreißig Kilometer südlich von hier sollen die Räuber aufgetaucht sein, aber auch zehn Kilometer nördlich und sogar drüben in Frankreich.«

Marie schwieg, aber in ihren Augenwinkeln bildeten sich fröhliche Fältchen, und die Unterlippe schob sich spöttisch vor. Ernst sah das und ärgerte sich. Für seine Verlobte war es offenbar eine gute Nachricht, daß zwei Mörder die Polizei narrten. Das Flugzeug kreiste weiter am Himmel.

»Dann gibt es auch Leute, die die Polizei absichtlich auf eine falsche Fährte locken. Stell dir das vor. Gestern abend wurden in Laufen zwei Studenten festgenommen. Die sind eigens aus Bern angereist, um in Gasthöfen verstohlen hochdeutsch zu reden und sich gehetzt umzusehen.«

»So was.«

»Ja. Und zwei Einheimische haben einem Fabrikarbeiter die Geldbörse abgenommen. Zwei Achtzehn-jährige. Haben ›Geld oder Blut!‹ gerufen in schlecht imitiertem Hochdeutsch.«

»Nein.«

»Doch. Dann haben sie die Geldbörse aufgemacht und gelacht, weil so wenig drin war. Und dann haben sie dem Arbeiter die Börse vor die Füße geworfen und sind in die Nacht verschwunden.«

»Und deswegen fällt dein Fußballtraining aus?«

»Wie?«

»Wegen der Buben?«

»Nein, nicht wegen denen.« Ernst biß die Zähne zusammen, und dann knackten ihm zum ersten Mal im Leben die Kiefergelenke. »Weil die Polizei vom Aufent-halt im Freien abrät.«

»Na dann …«

»Es ist gefährlich. Gestern ist ein Zivilist irrtümlich erschossen worden. Der Zellweger Franz aus Laufen.«

Auf diese Nachricht hätte Großmutter natürlicher-weise antworten müssen mit einem Ausruf, einem Wort oder auch nur einem Geräusch. Statt dessen schwieg sie ein beredtes Frauenschweigen, das drei oder vier Sekun-den dauerte. Dann sagte sie mit der unschuldigsten Stim-me: »Das heißt also – du gehst gar nicht mehr aus dem Haus, bis die Gefahr vorbei ist?«

Darauf konnte Großvater nicht anders antworten als mit einem verächtlichen Schnauben. »Mal sehen. Viel-leicht gehe ich doch trainieren. Ich frage mal den Benno, ob er mitkommt. Unseren Mittelstürmer.«

★

Eine Stunde später ist der Doppeldecker immer noch in der Luft. Bald wird ihm der Brennstoff ausgehen, dann muß er landen, wie vor zwei Stunden schon. Doch da! Dort laufen zwei Männer übers freie Feld! Jung sind die ganz bestimmt, und aufs Ganze gehen die auch, so wie die über die Wiese rennen, und der eine scheint etwas größer zu sein als der andere! Der Pilot dreht ab und fliegt zurück nach Laufen, nimmt seinen Notizblock aus dem Seitenfach und schreibt: »Die beiden Flüchtigen mit aller Sicherheit zwischen Laufen–Wahlen–Fehren gesehen!« Den Zettel steckt er in eine Ledertasche und wirft sie über dem Landeplatz ab. Dann kreist er über dem Städtchen und wartet, bis die Mannschaften in die Lastwagen gestiegen sind, und dann fliegt er voraus, der Polizeikonvoi hinterher. Dort vorne sind die Verdächtigen schon, der eine größer, der andere kleiner, haben mitten auf dem Feld kehrtgemacht und rennen wahrhaftig auf die Polizeilastwagen zu. Da wird gebremst, daß es raucht, die Polizeimänner steigen ab und werfen sich in den Straßengraben, die Gewehrschlösser klacken. Die zwei Verdächtigen verlangsamen ihren Lauf, bleiben stehen und mustern neugierig die hundert Gewehrläufe, denen sie ins Schußfeld geraten sind. Weiß dampft es aus den Mündern der Läufer, weiß dampft es aus den Mündern der Polizisten.

»Und? Habt Ihr die Räuber schon?« fragt der kleinere.

»Nein!« ruft ein namenloser Polizeimann.

»Viel Glück!« ruft der größere. Dann setzen sie sich wieder in Bewegung, und die Polizisten schauen hinterher. Die zwei Läufer tragen schwarze Nabholz-Trainer mit weißen Querstreifen über der Brust, und der größere knackt weithin hörbar mit den Kiefergelenken.

★

Im Restaurant »Rössli« in Laufen sitzt der junge Reporter von der National-Zeitung über seinem Notizblock und zieht Bilanz. »Die Polizeihunde haben komplett versagt, denn auf dem vereisten Boden ist es auch der feinsten Nase unmöglich, Witterung aufzunehmen. Wieder sind zwei Stunden vergangen, und nichts Neues ist zu vermelden. Wir rauchen alle wie die Türken, um nicht einzuschlafen. Es scheint fast, als wollte dieser große Tag in einer ebenso großen Enttäuschung enden, denn: Wenn wir ein Résumé über die Erfolge dieses Großkampftages ziehen, so müssen wir mit Betrübnis konstatieren, daß eigentlich jede sichere Spur der Mörder fehlt. Das auf der Landkarte relativ kleine eingekreiste Gebiet dehnt sich in Wirklichkeit unheimlich weit aus. Die berühmte Treibjagd durch die Wälder, von der man sich gestern noch einen entscheidenden Erfolg versprach, will und will nicht beginnen. Es scheint fast, daß die Einsatzleitung auf die Durchführung dieses Planes – weil aussichtslos – verzichtet. Es beginnt bereits zu dunkeln. Noch weitere zwei Stunden will die Polizei zuwarten – dann aber wird zur Heimfahrt geblasen.«

20. Kapitel

Sonntag abend, zweiundzwanzig Uhr zehn. Dorly Schupp hat sich das ganze Wochenende zu Hause verschanzt. Die gnadenlose Kummermiene der Mutter war zwar schwer zu ertragen – die faltig zusammengepreßten Lippen, die konzentrisch um die Augen vorstehenden Adern, das Schweigen, das Ticken der Wanduhr; noch schwerer zu ertragen gewesen wären aber die neugierigen Blicke der Nachbarn, das mitfühlende Geschwätz der Arbeitskolleginnen, das Getuschel von Unbekannten auf der Straße. Es ist Zeit, zu Bett zu gehen. Dorly steht im Nachthemd vor dem Waschtisch und kämmt ihr Haar, als das Läutewerk im Flur schellt. »Ich wußte sofort, daß das nur Sandweg und Velte sein konnten. Ich schickte meine Mutter zu den Nachbarn im zweiten Stock, damit sie die Polizei alarmiere, während ich in den dritten Stock zum Apparat der Familie Herzog stieg. Es war also meine bestimmte Absicht, die Polizei zu alarmieren. Meine Mutter vorgeschickt habe ich, um keine Zeit zu verlieren.«

Abschrift des Telefongesprächs zwischen Viktoria Schupp und Kurt Sandweg, abgehört am Sonntag, 21. Januar 1934, 22.13 Uhr, von Det.-Kpl. M. Werner:

»Hallo, hier Viktoria Schupp.«

»Ach ja, Sie sind es, Fräulein Dorly.«

»Kurt! Das ist doch schrecklich, das ist furchtbar!«

»Aber Dorly, regen Sie sich nicht auf. Das ist nichts Furchtbares, das ist gar nichts.«

»Du Blödian! Wo seid ihr?«

»Ganz nah. Im großen Park hinter dem Bahnhof.«

»Was? Hier in Basel?«

»Ja.«

»Seid ihr wahnsinnig? In welchem Park?«

»Na, der hinter dem Bahnhof.«

»Der mit der Kunsteisbahn?«

»Ja, genau.«

»Ist Waldemar auch da?«

»Nicht direkt, aber in der Nähe. Hier im Park. Hören Sie zu, Fräulein Dorly. Würden Sie uns bitte etwas zu essen bringen?«

»Was?«

»Wir haben schrecklichen Hunger.«

»Das ist doch … na gut. Wo soll ich euch treffen?«

»Am Höhenweg, beim Astronomischen Institut. Ich werde dann pfeifen.«

»Was soll ich bringen?«

»Irgendwas. Egal. Ein Brot.«

»Also gut.«

»Fräulein Dorly?«

»Ja?«

»Wie lange wird es dauern?«

»Na, eine ganze Weile. Ich wollte grad zu Bett gehen. Erst muß ich mich anziehen, und für den Weg brauche ich auch meine Zeit. Ihr müßt halt warten, bis ich komme.«

»Verstehe. Es tut mir leid, daß wir Ihnen Umstände bereiten. Sie werden es wohl wissen, wir werden verfolgt.«

»Ja. Dann werde ich mich jetzt bereitmachen.«

»Ja. Vielen Dank, Fräulein Dorly.«

»Bis gleich.«

»Bis gleich.«

»Ich hatte gerade genug Zeit, mich anzuziehen, als schon ein Polizeiwagen vor dem Haus hielt, um mich abzuholen. Nachdem ich verschiedentlich gefragt worden war, ob ich mich zu den beiden in den Park begeben wolle, bejahte ich, nicht etwa deshalb, weil ich die beiden nochmals sehen wollte, sondern weil ich damit rechnete, auf diese Weise der Polizei behilflich zu sein, der Mörder habhaft zu werden. Ich verließ in der Margarethenstraße den Wagen, begab mich via Gundeldingerstraße zum Batterieweg, und als ich zur südlichen Eingangstür des Parks kam, die neben dem Höhenweg liegt, hörte ich einen leisen Pfiff und die Worte: ›Fräulein Dorly, kommen Sie in den Park.‹ Die Zugangstüre war offen. Ich stieg die hölzerne Treppe, die von der Eingangstür in den Park hineinführt, hinab und sah dann die beiden auf dem Fußweg direkt unterhalb der Treppe nebeneinander stehen. Beide hielten ihre Pistolen in der Hand und starrten mich an. Sie waren durchaus verwahrlost und hatten die Mäntel gewechselt, Sandweg trug den dunklen Mantel, Velte den grau-gesprenkelten. Velte glotzte mich nur an und blieb vollständig stumm. Ich übergab dann mein mitgebrachtes Päcklein, das ein Pfundleibli Schwarzbrot darstellte, dem Velte. Dieser nahm es stillschweigend an sich. Es trifft zu, daß ich das Brot ins Extrablatt der National-Zeitung eingewickelt hatte, in dem ausgiebig über den Mord an der Sperr-straße berichtet wurde. Ich wollte ihnen damit vor Augen führen, was sie getan hatten. Ich machte sie auf die Zeitung aufmerksam, jedoch nahmen sie keine Notiz davon.

Ob sich die beiden überworfen hatten, kann ich nicht sagen. Velte schnitt eine düstere Miene, Sandweg war freundlich, ich konnte bei ihm sogar ein Lächeln bemer-ken. Im allgemeinen herrschte eine düstere Stimmung, und sie schienen seelisch stark mitgenommen. Ich bekam den Eindruck, insbesondere von Velte, daß sie sich für verloren hielten. Rückblickend bin ich mir sicher, daß sie zu jenem Zeitpunkt jede Hoffnung aufgegeben hatten, den Margarethenpark lebend zu verlassen.

Ich redete sie nun in leisem Ton an mit den Worten: ›Aber, aber, was habt ihr getan!‹, worauf Velte erwiderte: ›Seien Sie ruhig, Fräulein Dorly. Haben Sie keine Polizei gesehen?‹ ›Nein‹, entgegnete ich, ›ich bin von hinten herauf gekommen und habe niemanden gesehen.‹ Sand-weg sagte zu mir, indem er mir mit der Hand, in der er die Pistole hielt, auf die Schulter klopfte: ›Das ist lieb von Ihnen, daß Sie gekommen sind.‹

Ich frug Sandweg, wieso sie die Mäntel getauscht hät-ten. Darauf antwortete er, Velte habe in seinem durch-näßten Mantel so sehr gefroren, da habe er ihm seinen gegeben, da dieser noch ein bißchen trockener gewesen sei. Dabei hatte Sandweg seine Blicke Richtung Bin-ningen inne, also zum Rand des Parkes hin. Plötzlich muckte er auf und rief ziemlich laut: ›Auh, die Polizei!‹

Er faßte Velte am Arm, und sie rannten zusammen den Fußweg hinunter in den Park. Der Umstand, daß sie sich beim Flüchten am Arm hielten, ließ den Schluß zu, es herrsche zwischen den beiden noch der vorherige Frieden.

Ich blieb stehen, bis ich sie nicht mehr sehen und ihre Schritte nicht mehr hören konnte. Dann stieg ich wieder die hölzerne Treppe hoch und trat hinaus auf den Höhenweg. Dortselbst wurde ich von mehreren Polizeimännern in Empfang genommen. Da ich erschöpft war, legte ich mich hinter dem Polizeikordon für einige Zeit auf die Wiese.«

★

Dorly liegt im spröden Gras vom letzten Sommer und sieht hinauf in den Nachthimmel, den der Westwind aufgerissen hat; die Wolkenränder leuchten weiß vom Licht des Mondes, in den schwarzen Löchern dazwischen blinken ein paar Sterne. Am Rand des Parks steht hinter jedem Baum ein uniformierter Polizist. Jeder trägt einen Stahlhelm auf dem Kopf und ein Gewehr in der Hand, und jeder starrt hinein ins Dunkel des Parks und wartet auf die Dämmerung. Von Zeit zu Zeit huscht ein ziviler Beamter von Baum zu Baum, von Polizist zu Polizist, und gibt flüsternd Anweisungen. Einer wird auf Dorly aufmerksam und kommt auf sie zu. Es ist der Erste Staatsanwalt, Doktor Stephan Hungerbühler. Er weist Dorly darauf hin, daß der Boden gefroren sei und sie sich den Tod hole, nimmt sie an der Hand und versucht sie hochzuziehen. Aber Dorly entwindet ihm die Hand und bittet ihn, sie noch einen Augenblick liegen zu lassen. Darauf verschwindet der Staatsanwalt und kehrt mit zwei Wolldecken zurück. Eine breitet er neben Dorly aus, die zweite legt er am Kopfende bereit.

»Um nicht undankbar zu erscheinen, ließ ich mich auf der einen Decke nieder und breitete die andere über mir aus. Wenige Augenblicke später fielen ganz kurz nacheinander zwei Schüsse; ich glaubte im ersten Moment sogar, daß es nur einer sei. Die Schüsse fielen vielleicht zehn oder fünfzehn Minuten nach meiner gehabten Unterredung mit Sandweg und Velte. Die Schüsse erschütterten mich stark; dies nicht etwa nur wegen meiner platonischen Liebe zu Velte und der Freundschaft zu Sandweg, sondern grundsätzlich wegen des Gedankens, daß in meinem Beisein Bleikugeln gegen Menschen abgefeuert wurden.«

Dorly Schupp zieht sich die Decke über den Kopf, dreht sich zur Seite und zieht die Knie an. Die vorbeigehenden Beamten betrachten das Bündel Mensch unter der Decke mit hochgezogenen Brauen, verlangsamen ihre Schritte und gehen dann rasch weiter. In der Stadt schlägt die erste Kirchturmuhr Mitternacht, dann stimmen alle anderen Kirchturmuhren ein. Als es wieder still ist, fallen erneut zwei Schüsse. Diesmal sind es eindeutig zwei Schüsse. Ein Schuß, Stille, dann noch ein Schuß.

»Nach den neuerlichen Schüssen war ich mit meinen Kräften am Ende. Ich stand auf, faltete die Decken zusammen, brachte sie dem nächststehenden Beamten und bat darum, nach Hause gefahren zu werden. Dieser Wunsch wurde mir umgehend gewährt. In meinem Zimmer ließ ich mich aufs Bett fallen, ohne daß ich vorgängig Schuhe und Mantel ausgezogen hätte, und verfiel in einen tiefen Erschöpfungsschlaf, aus dem ich erst am Nachmittag des folgenden Tages erwachte. In den ersten Minuten erinnerte ich mich kaum an die Ereignisse der vergangenen Nacht, und als ich sie endlich präsent hatte, erschien mir alles ganz unwirklich.«

★

»Au, die Polizei!« hatte Kurt gerufen, und dann waren die beiden in die Tiefe des Parks geflohen, Kurt mit der Pistole in der Hand, Waldemar das Brot fest an die Brust gepreßt. Außer Sichtweite, hatten sie sich auf eine Parkbank fallen lassen und Waldemar hatte noch einmal sein Wachstuchheft zur Hand genommen.

»lb. Dorly! Verzeih, wenn ich Dir das antun mußte. Wir haben das Rechte gewollt. Die Welt ist zu schlecht für uns. Begrabt mich auf dem Hörnli. Kurt grüßt auch. So war es also das letzte Mal, daß ich auf dieser Welt in Deinen Armen lag. Wir sehen uns wieder. In dem Maße, wie uns die anderen schlechtheißen, waren wir gut. Auf Wiedersehen, mein Letztes, lebe wohl! Wir zwei gehören zusammen. Du größtes Glück meines Lebens. Einziger Sonnenschein für mich.«

Während einen Steinwurf entfernt der Staatsanwalt neben Dorly Schupp eine Wolldecke ausbreitet, stehen Sandweg und Velte von der Parkbank auf. Dorly nimmt auf der Decke Platz, Kurt und Waldemar ziehen ihre Pistolen aus den Manteltaschen und halten sie einer dem anderen an die rechte Schläfe. Dorly breitet die zweite Wolldecke über sich aus. Waldemar und Kurt zählen bis drei und drücken ab. Dabei ist Waldemar Velte einmal mehr eine Spur entschlossener, aufs Ganze zu gehen.

»Es ist genau fünf Minuten nach Mitternacht. Mein Kopfschuß sitzt nicht. Ich habe Kurt noch einen dazu und einen Herzschuß gegeben.«

Als Dorly Schupp die Wolldecken faltet und ins Polizeiauto steigt, sitzt Waldemar wieder auf der Parkbank, Sandwegs zuckenden Körper zu Füßen, das in Zeitungspapier gewickelte Brot neben sich auf der Bank. Eine Stunde sitzt er so da, ohne das Brot anzurühren, eine zweite, dritte, vierte, fünfte und sechste Stunde. Kurz vor sieben Uhr graut der Morgen zwischen den nackten Bäumen. Dorly schläft tief und fest, als Waldemar Velte unter den Blicken von achthundert Polizisten aufsteht, den Mantel aufknöpft, in die Tasche greift, die Pistole zieht, sie zur Brust führt und abdrückt.

★

Otto Beck, Polizeimann, stationiert am Claraposten: »Ich sprang mit anderen Polizisten zu der Ruhebank, vor der die beiden Mörder am Boden lagen, und da sah ich, wie die Hände des daliegenden Velte noch krampfartig zuckten und dessen Pistole rechts vom Körper am Boden lag.«

21. Kapitel

Sekunden später brach der Sturm von allen Rändern über den Margarethenpark herein. Der Reporter von der National-Zeitung war wiederum zuvorderst dabei. »Wie ein Lauffeuer verbreitete sich die Nachricht vom Tode der Mörder in der Stadt, und Tausende eilten hinauf ins Margarethengut. Die Polizei ließ niemanden an die Toten heran, bis der Polizeiphotograph mit seinem Apparat zur Stelle war und die Leichname von allen Seiten im Bild festhalten konnte. Besonders photographiert wurden die beiden Gesichter. Auf der Straße oberhalb des Margarethenparks war inzwischen das Totenauto vorgefahren. Zwei Metallsärge wurden zu den Leichen getragen. Erst durchsuchten die Kriminalbeamten die Taschen der beiden Mörder. Neben ihnen am Boden lagen die beiden Revolver: In einem war ein Magazin mit noch sechs, im andern eines mit sieben Patronen! Zudem hatten die Mörder noch zwei volle Patronenmagazine mit je acht Patronen in ihren Taschen. Als die Leichen in die Särge gelegt waren, wurden sie ins Auto getragen und abtransportiert.«

Das Auto fuhr in die Anatomische Anstalt der Universität Basel. Dort sägte ein Mann in weißem Kittel Kurt Sandwegs Schädel auf und fand im Gehirn zwei Kugeln. Eine war durch die linke Schläfe eingedrungen, die andere durch die rechte. Die dritte Kugel hatte Kurts große Herzschlagader zerrissen. Ein jeder dieser Schüsse wäre tödlich gewesen, schrieb der Gerichtsmediziner in seinem Bericht. Waldemar Velte hatte am Kopf eine zwei Zentimeter lange Streifwunde, die das Gehirn nicht verletzt hatte. Der Herzschuß aber muß unmittelbar tödlich gewesen sein.

Der Mann im weißen Kittel setzte die Hirnschalen wieder an ihre Plätze, nähte die Kopfhäute fest und kämmte das Haar sorgfältig über die Nähte. Er wusch das getrocknete Blut ab und drückte die totenstarren Gesichtsmuskeln lebensecht zurecht. Dann strich er die Gesichter Sandwegs und Veltes gründlich mit Vaseline ein. Er rührte ein gutes Kilogramm Gips an, verteilte diesen auf den Gesichtern und wartete, bis er hart war. Die entstehenden Hohlformen strich er wiederum mit Vaseline ein und goß sie mit Gips aus. Dann rollte er die Leichen auf fahrbaren Untersuchungsliegen hinüber in den Kühlraum, wusch sich die Hände, zog den Kittel aus und ging zum Mittagessen nach Hause.

*

Dorly Schupp: »Anläßlich von Spaziergängen kamen wir öfters oben beim Margarethenpark vorbei, den Park selbst haben wir nie durchquert. Einmal bei einem Spaziergang traten wir bei der gleichen Türe in den Park, wo ich in der tragischen Nacht eingetreten bin, und setzten uns auf die Bank, wo nachträglich die Leichen der beiden vorgefunden wurden. Wir verblieben damals wegen der Kälte nur etwa 20 Min. sitzen. Wann das war, kann ich nicht mehr genau sagen.«

*

Um halb zwei Uhr war der Gips hart. Der Mann mit der weißen Schürze hob die Totenmasken aus den Hohlformen, trug eine Grundierung auf und bemalte die Gesichter naturgetreu, insbesondere Einschußlöcher, Zahnschäden und Hautunreinheiten. Als er damit fertig war, goß er die Hohlformen aufs neue mit Gips aus, denn er hatte den Auftrag, die Totenmasken in dreifacher Ausführung anzufertigen: ein Paar für die Basler Polizei, eines für die deutschen und eines für die französischen Behörden.

★

National-Zeitung: »Bei dieser Gelegenheit mag noch eine andere, sehr interessante Einzelheit erzählt werden. Es ist nämlich nur einem unglaublichen Zufall zu verdanken, daß die Mörder jener Verkäuferin telephoniert und damit ihr Schicksal besiegelt haben!! Nämlich: Auf dem Bauplatz der Kunsteisbahn befinden sich ZWEI BAUHÜTTEN. In eine dieser beiden Hütten drangen die Räuber ein und fanden statt Brot nur ein – TELEPHON. Sie waren damals wohl halb verhungert und am Ende ihrer Kräfte, und in ihrer Verzweiflung fanden sie keine andere Rettung mehr als jenes verhängnisvolle Telephongespräch. Wenn sie aber zufällig in die andere Bauhütte eingebrochen hätten? Dann hätten sie vor Freude wohl Luftsprünge gemacht! Denn in jener zweiten Hütte war PROVIANT IN HÜLLE UND FÜLLE VORHANDEN: Brot, Käse, Würste, Speck – und Wein und Bier! Das Ende der Geschichte mag sich jeder selbst ausmalen.«

22. Kapitel

Die Zeitungsschreiber zogen am Montag eine Bilanz des Dramas, und alle taten es auf ihre Weise. Der Chefredakteur des kommunistischen »Vorwärts« titelte: »Göringsche SA-Banditen morden in Basel. Die Basler Polizei ist unfähig gegen Verbrecher, aber scharf gegen Arbeiter. Die grauenhaften Mordtaten finden bisher nichts Ähnliches in den Annalen der hiesigen Kriminalität. Was ist das für ein Geist, wessen Handwerk ist diese mit teuflischer Kaltblütigkeit ausgeführte Kette ungeheuerlicher Verbrechen? Der Schießerlaß des Morphinisten Göring ist es, der die Revolver locker macht. Wo es Massenschlächter gibt, soll es keine kleinen Bestien geben? Das wäre verwunderlich!«

Anders das Katholische Volksblatt: »Die Rücksichtslosigkeit und Verwegenheit von Sandweg und Velte kennzeichnet die Gemeingefährlichkeit dieser abscheulichen Subjekte in Teufelsgestalt. Derartige Unmenschlichkeit ist ein schlagender Beweis für die Verrohung gegenüber hohen Werten wie Leben und Eigentum, von Sitte und Moral speziell bei der Jugend. Sittenverwilderung, Glaubens- und Gottlosigkeit tragen eine große Schuld an diesem Niedergang.«

Darauf wiederum entgegnete die sozialdemokratische

Arbeiter-Zeitung: »Ich frage euch: Ist die Achtung vor dem Menschenleben all jenen, die nach Sühne schreien, so heilig? Finden es die Herren Arbeitgeber nicht selbstverständlich, daß der Arbeiter und die Arbeiterin ihr Leben täglich um des Profites des Unternehmers willen und der Lebensnotwendigkeit ihrer selbst willen aufs Spiel setzen? Wenn dann einer sein Leben lassen muß, wo bleibt die Entrüstung?

Wo bleibt die Achtung vor dem Menschenleben, wenn eine Schiffsgesellschaft aus Profitsucht den Kasten hoch versichert und mit einer wertlosen Ladung aufs Meer schickt, in der Annahme, daß er sinkt, um hohe Versicherungsprämien einzusacken, unbekümmert um die Menschen auf dem Schiffe? Ist die Entrüstung ob dem Verbrechen bei jenen echt, die hier den Mord verabscheuen, aber ihn in anderer Auflage oder Art sogar fordern und mitmachen? Wir entsinnen uns noch, wie während der Kriegszeit die Schlachtberichte von einer sensationslüsternen Menschenklasse gelesen wurden, die zwischen Suppe und erstem Gang von 10 000 Gefallenen und 30 000 Verwundeten Kenntnis nahm. Wo bleibt die Entrüstung ob all dem Morden, wo bleibt sie heute, wo die faschistische Presse aus politischem Kalkül zum Mord hetzt?«

Die Basler Nachrichten, »Intelligenzblatt der Stadt Basel«, wunderten sich über die Tatsache, daß Sandweg und Velte »sich gegen die bestehende Gesellschaftsordnung auflehnten, obwohl sie dazu gar keinen Grund gehabt hätten, denn ihre Väter waren vermögende und äußerst beliebte Unternehmer. Im übrigen weist das Drama darauf hin, daß ausländische Elemente mit einem höheren Prozentsatz an Verbrechen beteiligt sind. Wenn dem wirklich so ist, erscheint die Flüchtlingsfrage in einem anderen Licht. Es darf nicht sein, daß das Asylrecht die Sicherheit des Landes gefährdet. Ansonsten besteht die Gefahr, daß im Volk eine psychosenhafte Ausländerhetze entsteht.«

Den deutschen Zeitungen war die Angelegenheit eher peinlich. Am 1. Februar etwa schrieb das Stuttgarter Neue Tagblatt: »… teilen wir diese neusten Ergebnisse polizeilicher Nachforschungen mit. Allerdings mit einem gewissen inneren Widerstreben, denn es will uns beinahe scheinen, als ob man durch die unausgesetzte Beschäftigung mit den beiden Verbrechern und ihren Verbrechensmotiven den Menschen, um die es sich hier handelt, beinahe zuviel Bedeutung beimesse. Das gilt auch für ihre Aufzeichnungen, die wahrscheinlich als Produkte geistig unreifer und ethisch verdorbener Menschen angesehen werden müssen. Man soll den Fall, der in seiner Brutalität eindeutig genug ist, nicht durch allzuviel Psychologie unnötig komplizieren.«

Und der Schwäbische Merkur meinte: »Wenn man sie auf deutschem Gebiet hätte gefangennehmen können, wären sie ja ohnedies unter dem Beil des Scharfrichters geendet. Anders allerdings in der Schweiz, wo es ja die Todesstrafe nicht gibt.«

In der Jugendbeilage der Basler Arbeiter-Zeitung schrieb ein junges Mädchen: »Es ist so viel geschrieben, so viel geschrien worden über Velte und Sandweg, von allen Seiten in den gleichen Tönen: Mörder, Bestien, SA-Banditen! Man ist ganz müde davon geworden, ganz traurig, daß die Menschen so eng sind. Gibt es wirklich nichts sonst zu sagen über diese beiden? Haben wir nicht etwas anderes empfunden bei ihrem Schicksal?

Wir, die wir in der gleichen Zeit herangewachsen sind wie sie, die wir diese Welt gleich empfinden müssen wie sie, als eine Welt, die der Jugend keinen Raum gibt, keinen Platz, wo sie ihre Gaben verwerten kann, die nur das eine bietet: Arbeitslosigkeit.

In dieser Welt leben junge Leute, begabt, voller Energie, voller Verlangen, ihre Fähigkeiten zu nützen, einen Platz im Leben zu haben. Die Gesellschaft kann sie nicht brauchen. Ist es nicht verständlich, daß sich ihre Energie gegen diese Gesellschaft wendet?

Velte und Sandweg hatten Mut, Draufgängertum, wollten, daß das Leben einen hohen Einsatz von ihnen fordere. Die Arbeitslosigkeit, die Hoffnungslosigkeit weckte in ihnen den Haß gegen die ganze Umwelt. Gegen diesen Feind setzten sie alle ihre Kräfte ein. Da man ihnen keine Aufgabe bot, schafften sie sich eine Aufgabe, an die sie ihre Energie wenden konnten. Und ist es so unverständlich, daß das Leben anderer nicht mehr so schwer wiegt, wenn man sein eigenes waghalsig aufs Spiel setzt?

Gewiß haben sie den Kampf gegen die Gesellschaft auf ganz falsche, ganz unvernünftige Weise geführt, aber kann eine Welt ohne alle Vernunft Vernunft von den Menschen verlangen?

Kleinere Leute gewöhnen sich langsam an den Irrsinn dieser Zeit und treiben so mit; größere kann sie zum Irrsinn bringen. Der Tod der beiden hat bewiesen, daß sie Menschen von Format waren. Ihr Glaube an das Mädchen hat ihre innerste Güte und Vornehmheit gezeigt.

Jugendgenossinnen und Jugendgenossen! Wir wollen Waldemar Velte und Kurt Sandweg in warmem und verstehendem Andenken behalten. Kämpfen wir mit neuem Ernst gegen diese Gesellschaft, die wertvolle Menschen auf einen irrsinnigen Weg treibt!«

Darauf antwortete ein älterer Genosse am folgenden Tag: »Für mich sind die beiden auch Opfer der Gesellschaft, und zwar der spezifisch deutschen gesellschaftlichen Verhältnisse. Opfer jener furchtbaren militärischen Erziehung, die den Krieg zum Kult macht, die jedem die Aufgabe stellt, von seinen Mitmenschen so viele wie möglich zu erledigen. Hätten Sandweg und Velte in Deutschland Sozialdemokraten erschossen oder ›erledigt‹, anstatt Bankangestellte in Stuttgart oder Basel zu erschießen, sie wären umstrahlt von der Gloriole des Dritten Reiches, sie hätten die Anerkennung der Hitler, Göring und Co. Weil sie das nicht taten, sind sie auch nicht durch ihren Tod ›Menschen von Format‹; voll ›innerster Güte und Vornehmheit‹, die die sozialistische Jugend ›in warmem und verstehendem Andenken bewahren‹ kann.

Gegen eine solche gesellschaftskritisch sein sollende Beurteilung, die in Wirklichkeit eine sentimentale kitschige Verherrlichung und Empfehlung ist, die mir einer Karl-May-Psychose zu entstammen scheint, protestiere ich. Menschen wie Sandweg und Velte sind samt all ihren Opfern zu bedauern, aber diese beiden sind keine Helden der sozialistischen Jugend.

Vielleicht wirft man mich deshalb zu den kleineren Leuten, aber da ich als Sozialist nicht das Leben der Velte und Sandweg führen kann, werde ich auch nicht durch meinen Tod beweisen, daß ich zu den ›Menschen von Format‹ gehöre.«

23. Kapitel

Als mein Großvater am folgenden Dienstag mittags vor der Post auftauchte, brachte er keine Rosen mit, sondern eine gerollte Morgenausgabe der National-Zeitung, mit der er sich bei jedem Schritt gegen die Hosennaht schlug. Er nahm neben Großmutter auf der Sitzbank Platz, strich die Zeitung auf seinem Schoß glatt, rollte sie wieder zusammen und strich sie erneut glatt.

»Na, heute kein Training?« fragte Großmutter.

»Heute schon Zeitung gelesen?« entgegnete Großvater.

»Ich lese nie Zeitung.«

»Die zwei Mörder sind gestern bestattet worden.«

»Ach ja?«

»In Basel. In anonymen Anatomiegräbern.«

»Aha?«

»Selbstmörder haben kein Anrecht auf ein christliches Begräbnis.«

»Aha.«

»Soll ich's dir vorlesen?«

Marie gab keine Antwort. Sie blickte starr geradeaus auf die Landstraße, auf der es in der mittäglichen Ruhe nichts zu sehen gab. Ernst schlug die Zeitung auf und las vor. »... hat die Staatsanwaltschaft Basel-Stadt über

Polizeifunk in Wuppertal anfragen lassen, was mit den Leichen Sandwegs und Veltes zu geschehen habe. Beide Familien verzichteten auf eine Heimschaffung. Waldemar Veltes Vater meldete sich zwar zunächst telegraphisch zur Bestattung in Basel an, teilte dann aber auf nochmalige Befragung mit, daß er aus finanziellen Gründen von der Reise absehe. Darauf hob der Staatsanwalt die Beschlagnahme der Leichen auf. Soll ich weiterlesen?«

»Wenn du willst.«

»Nicht unbedingt.«

»Warum willst du's mir vorlesen?«

»Nur so.«

»Findest du, daß mich das interessieren müßte?«

»Nein«, sagte Ernst.

»Na gut. Wo sind sie begraben – am Hörnli?«

»Wieso am Hörnli?«

»Nur so. Also wo?«

»Moment.« Er schlug die Zeitung auf. »Hier: auf dem Gottesacker Wolf. Keine Ahnung, wo der ist.«

»Aber ich. Zwischen dem Güterbahnhof und dem Fußballstadion.«

»Aha.« Ernst warf Marie einen argwöhnischen Seitenblick zu. »Wieso weißt du das?«

»Eine Tante von mir liegt da.«

»Ach ja?«

»Tante Erna. Ich sollte sie wieder einmal besuchen.«

Ernst glaubte nicht an die Tante auf dem Wolfsacker. Er legte die Zeitung zwischen sich und Marie auf die Bank, dann kraulte er Hassos Fell. Sie fuhr mit dem Daumennagel die Seitennaht ihres Rocks hinauf und

hinunter. Bald würde der Postmeister aus dem Mittagsschlaf erwachen, dann wäre die Besuchszeit vorbei. Ernst
griff wieder nach der Zeitung.

»Hier steht, daß morgen die Opfer der Mörder bestattet werden.«

»Aha.«

»Auf dem Hörnli.«

»Aha.«

»Eine große Zeremonie. Öffentlich.«

»Hm.«

»Ich habe mir gedacht, wir könnten hingehen.«

»Wer – du und ich?«

»Ja. Möchtest du etwa nicht hingehen?«

»Wieso?«

»Nur so. Wenn du nicht hingehen willst, kannst du es
mir sagen.«

»Wieso sollte ich nicht hingehen wollen?«

»Das habe ich nicht gesagt.«

»Oder MUSS ich etwa hingehen?«

»Das habe ich nicht gesagt.«

»Findest du, daß ich da hingehen MUSS? Nur weil ich
EINMAL mit denen spazierengegangen bin?«

»Zweimal. Aber das habe ich nicht gesagt.«

»Ich MUSS da nicht hingehen.«

Dann saßen sie wieder stumm nebeneinander mit trot-
zig vorgeschobenen Unterlippen. Die Mittagspause neig-
te sich dem Ende zu. Auch Hasso fühlte das. Er stand
auf, gähnte und streckte sich, trottete hinüber zu seinem
Wassernapf und trank einen Schluck. Er lief über den
Hof zur Landstraße, schaute argwöhnisch erst nach
Süden, dann nach Norden und bellte kurz. Dann kehrte

er zur Sitzbank zurück und ließ sich wieder zu Füßen
von Marie nieder.

»Ich MUSS da nicht hingehen«, sagte sie. »Aber ich
sehe nicht ein, wieso ich da NICHT hingehen soll.«

»Natürlich nicht.«

★

»Beschluß der Staatsanwaltschaft Basel-Stadt vom 27. Juni
1934: Das Strafverfahren gegen Waldemar Velte, preußischer Staatsangehöriger, geboren 4. August 1910, ledig,
Techniker, und Kurt Sandweg, preußischer Staatsangehöriger, geboren 3. August 1910, ledig, Schlosser, betreffend:

erstens Mord, begangen an Arnold Kaufmann, Jacques
Beutter, Jakob Vollenweider, Alfred Nafzger und Hans
Maritz; betreffend zweitens Mordversuch, begangen an
Walter Gohl; betreffend drittens rechtswidrigen Ge-
brauch von Fahrzeugen (1 Auto und 2 Fahrräder), wird
eingestellt wegen Todes der beiden Angeschuldigten.

Von den im Zimmer gefundenen Gegenständen bleiben beschlagnahmt: 1 Munitionstasche, 1 Pistolentasche,
1 Dietrich, 1 Pistolenmagazin, 1 Futteral, 2 Taschenlam-
pen, 1 Taschennotizbuch, 1 Totschläger, 14 Photographien, 1 schwarzer Filzhut. Von den auf der Leiche des
Velte gefundenen Gegenständen bleiben beschlagnahmt:
1 Walterpistole, 1 Magazin mit 7 Patronen, 2 Autoschlüs-
sel, 1 Notizbuch. Von den auf der Leiche des Sandweg gefundenen Gegenständen bleiben beschlagnahmt: 1 Pistole
DRGM, 1 Schlüsselbund mit 3 Schlüsseln und 6 Auto-
steckschlüsseln, 1 Dietrich, 1 Lederetui mit 2 Autoschlüs-
seln. Die übrigen Sachen stehen zur Verfügung der An-

gehörigen. Der sichergestellte Damenschirm geht zurück an Fräulein Viktoria Schupp, Palmenstraße 23.«

★

Hilde Velte: »Was mit den Sachen geschehen ist, weiß ich nicht. Wir haben nichts davon haben wollen. Ich glaube, die werden normalerweise dann versteigert. Nein, auch das Reisegrammophon und die Schallplatten wollten wir nicht. Hätten wir die vielleicht abspielen sollen?«

★

Die Schweizerische Kreditanstalt stellte der baselstädtischen Regierung zehntausend Franken zur Verfügung für die Hinterbliebenen von Jacques Beutter, Arnold Kaufmann, Hans Maritz, Alfred Nafzger, Franz Zellweger und Jakob Vollenweider.

★

Tausende von Menschen zogen am folgenden Mittwoch auf den Friedhof am Hörnli, zur Totenfeier der drei erschossenen Polizisten – zu Fuß, in überfüllten Autobussen und in langen Reihen von Privatautos. Voran marschierte die Polizeimusik, gefolgt von vierhundert Basler Polizisten, dann Polizeidelegationen aus der ganzen Schweiz, deutschen Ordnungshütern mit Tschako und Pickelhaube sowie französischen Gendarmen mit flachen Mützen, und schließlich die Basler Bevölkerung, scharf beobachtet vom Reporter der National-Zeitung. »Ernsthafte Männer und Frauen sah man hier daherschreiten aus dem Gefühl heraus, irgendwie den Opfern und deren Familien ihre Anteilnahme zu bezeugen.«

Unter ihnen schritten auch Marie Stifter und Ernst Walder daher – er aus einem Gefühl schlecht versteckten Triumphs heraus, sie irgendwie bebend vor ebenso schlecht verstecktem Zorn.

Der Weg zum Hörnli war sehr weit.

»Ist dir kalt?« fragte er. »Möchtest du umkehren?«

»Wieso sollte ich umkehren wollen?«

»Nur so. Falls dir kalt ist.«

»Wir haben hingewollt. Jetzt gehen wir hin.«

Als sie am Hörnli anlangten, hatte die Totenfeier schon begonnen. Der Aufgang zur Kapelle war mit Kränzen bedeckt, die Kapelle zum Bersten gefüllt. Ernst nahm Marie am Arm, bahnte sich mit schulmeisterlicher Autorität einen Weg durch die Menge und war erst zufrieden, als sie in der ersten Reihe vor den drei Särgen standen, inmitten von Regierungsräten, hohen Militärs und geistlichen Würdenträgern. Dann begannen die Ansprachen: eine katholische für Jakob Vollenweider, je eine evangelische für Hans Maritz und Alfred Nafzger, gefolgt von einer weltlichen Rede von Polizeidirektor Carl Ludwig namens der Basler Regierung.

Die Feier war sehr lang.

»Ist dir immer noch nicht kalt?« flüsterte Ernst, der seinen Sieg ausgekostet hatte und jetzt gern zur Versöhnung bereit gewesen wäre. »Wir können heimgehen, wenn du willst.«

»Psst!« zischte Marie. »Wieso sollte ich heimgehen wollen!«

Marie und Ernst blieben bis zum Schluß der Feier, und zwar in der vordersten Reihe. Nach einem Vortrag der Gesangsektion des Polizeikorps ehrte die Fahne des Polizeischützenvereins zum letzten Mal die Toten. Dann würdigte der Sprecher des Polizeimännervereins die drei verdienstvollen Beamten, grüßte sämtliche Delegationen auswärtiger Polizeikorps, verdankte und verlas die zahlreichen eingegangenen Zuschriften. Nach einem Choral der Polizeimusik und einem gemeinschaftlichen Gebet wurden Maritz' und Nafzgers Särge zur Einäscherung ins Krematorium gebracht, jener von Vollenweider hinüber zum Grab gezogen und der Erde übergeben, während die Polizeimusik den letzten Gruß ins Grab sandte.

Langsam flutete die Menschenmenge heimwärts. Damit sie nicht voneinander getrennt wurden, nahm Ernst Marie am Oberarm. Dabei berührte er versehentlich ihre Brust, wofür er sich entschuldigte und sie ihn mit einem Stirnrunzeln strafte.

»Möchtest du schon heimfahren?« fragte er. »Oder wollen wir spazierengehen?«

»Spazieren? Wohin?«

»Zum Rheinhafen. Wenn du magst. Schiffe anschauen.«

»Habe ich schon gesehen. Aber meine Tante habe ich schon lange nicht mehr besucht.«

»Welche Tante?«

»Tante Erna. Auf dem Wolfsacker. Hast du etwas dagegen, daß wir sie besuchen?«

»Wieso sollte ich etwas dagegen haben?«

»Wenn's dir nicht recht ist, müssen wir nicht hingehen.«

»Wieso sollte es mir ...«

Undsoweiter.

24. Kapitel

Bald ging das Leben in Basel wieder seinen gewohnten Gang. Zwar spielten die Kinder in den Schulhöfen noch monatelang »Sandweg und Velte«, und jeder wollte Räuber und keinesfalls Polizist sein; zwar unterstellte die Stadt Waffenbesitz einer strikten Bewilligungspflicht und ersuchte die Landesregierung um sofortige Verstärkung des Grenzschutzes; zwar machte die Polizei noch eine Weile strenge Personenkontrollen in der Innenstadt – aber es sollte Jahrzehnte dauern, bis in Basel wieder auf Polizisten geschossen wurde.

Und sonst?

Der mausgesichtige Kontorist Lindner blieb der Gablenberger Bank bis zuletzt treu. Elf Jahre lang duckte er sich unter dem Nachfolger des erschossenen Filialleiters, der ein genauso strammer Volksgenosse war wie Feuerstein. 1944 wurde er beim Bombardement Stuttgarts von einer herunterstürzenden Betondecke erschlagen.

Waldemar Veltes Bruder, der kleine Lothar mit dem Fahrtenmesser, erhielt kurz vor Kriegsende noch Gelegenheit, sich im Kampf zu bewähren. Er kehrte mit einem Bauchschuß zurück, der nie wieder ganz heilen sollte. Nach dem Krieg verließ er Deutschland, »um die

Sache mit Waldemar zu vergessen«, wie seine Schwester Hilde sagte. Er verbrachte sein Leben als Ingenieur in Persien, kehrte 1966 mit Darmkrebs nach Deutschland zurück, ließ sich operieren, starb 1971 und wurde beigesetzt in der Ruhestätte der Familie Velte. Der Friedhof liegt idyllisch zwischen einer Pferdeweide und einem Wäldchen. Wenn im Winter die Bäume kahl sind, kann man ihn vom Wohnzimmer der Veltes aus sehen.

Bonnie und Clyde überfielen zwei weitere Banken in Lancaster und Kansas und erbeuteten dabei insgesamt 6800 Dollar. Am ersten April 1934 erschossen sie in Grapevine, Texas, zwei Polizisten auf Verkehrsstreife, fünf Tage später einen Beamten in Miami, Oklahoma. Dann wurden sie verraten von ihrem Bandenmitglied Henry Methvin, den sie am sechzehnten Februar aus dem Gefängnis befreit hatten und der sich für den Verrat zuvor eine mildere Gefängnisstrafe ausgehandelt hatte. Am Morgen des dreiundzwanzigsten Mai 1934 lauerte eine Spezialeinheit von Texas-Rangers und FBI-Agenten an der Landstraße bei Arcadia, Louisiana. Als der sandfarbene Ford V 8 um Viertel nach neun Uhr auftauchte, eröffneten die Beamten ohne Warnung mit schweren Maschinengewehren das Feuer. Bonnie und Clyde wurden getroffen von 167 Kugeln. Den durchlöcherten Wagen mit den beiden Leichen schleppten die Polizisten ins Städtchen, als Spektakel für die Menge. Die rechtmäßige Besitzerin forderte ihn zurück und vermietete ihn für zehn Dollar pro Woche als Attraktion für Grillpartys, Geschäftseröffnungen und Rodeos. Heute steht der Ford V 8 in Whiskey Pete's Casino Hotel in Stateline, vierzig Meilen südlich von Las Vegas. Mit ausgestellt ist ein zerfetztes und blutdurchtränktes Hemd, das Clyde Barrow an seinem Todestag getragen haben soll.

Waldemar Veltes kleine Schwester Hilde hatte schwer unter den Taten ihres Bruders zu leiden. In der Schule zeigten die Kinder mit dem Finger auf sie, Freundinnen wandten sich von ihr ab, Vereine schlossen sie aus. Sie blieb zeitlebens ledig und wohnte stets im Elternhaus, wo sie nacheinander Vater und Mutter bis zu deren Tod pflegte. Es war für sie ein schrecklicher Moment, als ich sie ausfindig machte und schriftlich um ein Gespräch bat. »Ich hatte gehofft, daß nach dieser langen Zeit endlich Gras über die Sache gewachsen sei«, sagte sie mir Tage später am Telefon. Dann fragte sie, was ich denn wissen wollte, und wir redeten eine gute Stunde lang.

Die Basler Banklehrlinge Haitz und Siegrist wurden kurz nach dem Überfall arbeitslos, da die Wever-Bank Konkurs ging. Siegrist rettete sich in die Rekrutenschule, fand danach eine Stelle an der Basler Universitätsbibliothek und kehrte nie mehr ins Bankgeschäft zurück. Der kleine Haitz verlagerte seine Interessen von den Mädchenbeinen hin zur Nationalökonomie und brachte es bis zum Basler Staatskassier.

Kurt Sandwegs und Waldemar Veltes Gräber wurden bei der Umgestaltung des Friedhofs 1959 ausgehoben. Der Humus wurde auf einem rechteckigen Grundstück zwischen vier Fußwegen verteilt, und der Friedhofsgärtner säte Rasen an.

Willi Kollo sang »In Deine Hände« ab 1933 im Berliner »Kabarett der Komiker«. Telefunken entdeckte das Lied und nahm es mit dem berühmten Tenor Marcel

Wittrisch auf. 1934 hörte man es aus allen Fenstern und über alle Radiosender Deutschlands, der Schweiz und Österreichs; ab 1936 in der englischen Version – unter dem Titel »My Heart Was Sleeping« – auch im übrigen Europa, in Kanada und den USA. Dank des Lieds fand Kollo ein Auskommen bis nach dem Krieg. Als politischer Kabarettist hatte er seit Januar 1933 Berufsverbot.

Die Pension der Hedwig Vetter an der Sperrstraße wurde im März 1934 aus gesundheitspolizeilichen Gründen geschlossen. Ohne Gäste konnte die Wirtin die Pacht nicht mehr zahlen, mußte aus dem Haus ausziehen und stand im Alter von siebenundfünfzig Jahren mittellos auf der Straße. In ihrer Not nahm sie die Einladung eines alten Stammgasts an, der sich in einem gemütlichen kleinen Chalet am Titisee zur Ruhe gesetzt hatte. Sie besorgte ihm den Haushalt und ließ sich von ihm den Hof machen, heiratete ihn und lebte glücklich bis ins hohe Alter.

Die junge Wirtin Johanna Furrer hingegen verkaufte ihre Pension im Juli 1934 aus freien Stücken. Sie fuhr auf einem Rheinschlepper nach Rotterdam und schlug sich dank Glück, Charme, Geld und einwandfrei arischem Äußeren durch bis nach Vancouver an der Westküste Kanadas. Dort eröffnete sie eine Konditorei und war mit ihren Schweizer Spezialitäten derart erfolgreich, daß sie innert weniger Jahre übers ganze Land verstreut achtzehn Zweigniederlassungen gründete. Sie blieb ledig und wurde bei bester Gesundheit sehr alt. Zuletzt lebte sie auf Vancouver Islands in einer komfortablen Seniorenresidenz am Rand eines Waldes, in dem es tausendjährige Mammutbäume, mannshohen Farn, Pumas und

Schwarzbären gab. Vom Balkon ihrer Wohnung aus hatte sie Sicht auf den Pazifischen Ozean; bei den großen Felsen am nördlichen Ende des Strandes zog jeden Nachmittag um zehn nach zwei Uhr eine Herde Orca-Wale vorbei.

Polizeidetektiv Walter Gohl verbrachte lange Monate im Spital, bis die Chirurgen seinen zerschmetterten Unterkiefer wiederhergestellt hatten. Er quittierte den Polizeidienst und ging in Rente.

Dem mutigen Reporter von der National-Zeitung kam im Lauf der Zeit allmählich und ohne äußeren Anlaß die Freude erst am Beruf und dann auch am Leben abhanden – ein Unglück, das früher oder später vielen widerfährt, die die Welt ständig durch die Schießscharte betrachten. Er nahm irgendeine Stelle beim Staat an und soff sich ziemlich schnell zu Tode.

★

Marie Stifter und Ernst Walder gingen nach der Totenfeier auf den Gottesacker Wolf, wo Marie das Grab ihrer Tante Erna zwar nicht finden konnte, trotzdem aber triumphierend lächelnd ihren Verlobten zu einem endlos langen Spaziergang zwischen den frischen Gräbern nötigte. Am dritten Sonntag nach Ostern 1934 heirateten sie abmachungsgemäß. Sie zeugten zwei Töchter, bauten ein Haus, pflanzten zahlreiche Obstbäume und verfolgten einander lebenslang mit nie erkaltendem Haß. Im Laufe der Zeit entfernten sie sich nicht etwa voneinander, sondern rückten im Gegenteil näher zusammen. Großmutter ging nach der Geburt der Töchter kaum mehr aus dem Haus, und auch Großvater verbrachte

immer mehr Zeit daheim, da er nacheinander die Fuß-
ballschuhe an den Nagel hängte und den Dirigentenstab,
das Präsidium im Turnverein sowie die politischen Ämter
in jüngere Hände legte. Die zwei Mädchen flohen vor
der vergifteten Atmosphäre des Elternhauses, kaum daß
sie volljährig waren, worauf sich Großvater 1956 in Paris
für 960 000 alte französische Francs einen Citroën DS mit
hydropneumatischer Federung bestellte – und zwar
nicht etwa das Basismodell, sondern die apfelgrüne Luxus-
ausführung mit auberginefarben abgesetztem Schiebe-
dach und karamelbraunen Ledersitzen.

Im Alltag war der Wagen nicht zu viel nütze, denn im
Dorf war alles Wichtige nah: das Schulhaus, die Bäcke-
rei, die Molkerei, die Metzgerei, die Post, das Wirtshaus
»Zur Traube«. Aber wenn die Schulferien anbrachen,
packten meine Großeltern den Kofferraum voll und flohen vor dem häuslichen Krieg, nur leider miteinander.
Die ersten paar Jahre ging die Fahrt stets nach Italien,
mit jedem Mal ein bißchen tiefer in den Süden, später
auch nach Spanien, nach Großvaters Pensionierung
sogar nach Jugoslawien und Griechenland. Er saß über
Tausende von Kilometern am Steuer, sie auf dem Bei-
fahrersitz; er knackte mit den Kiefergelenken und
schwieg, während sie mit großer Ausdauer seinen Fahr-
stil kommentierte. Grimmig entschlossen stampften sie
durch den Circus maximus und die Uffizien, erbar-
mungslos gondelten sie Seite an Seite durch die Kanäle
Venedigs, holperten auf Eselsrücken hinauf zur Akropolis, ritten auf lahmenden Wildpferden durch die Ca-
margue; voller Haß begleiteten sie einander zu Stier-
kämpfen, Vulkanausbrüchen und Opernaufführungen,

und all das nahm erst im November 1985 ein Ende, als meine Großmutter plötzlich an Herzschwäche starb. Großvater lebte noch zehn weitere Jahre. Als seine Sehkraft nachließ, schenkte er den Citroën DS meiner Mutter, welche ihn wiederum mir überließ, der ihn mangels Geld für den Unterhalt ziemlich schnell zuschanden ritt. Großvater pflegte weiter seinen Apfelhain und versank immer tiefer in Bitternis und Einsamkeit, woraus weder Töchter noch Enkel ihn je befreien konnten.

★

Die Geburt des Citroën DS 1955 war übrigens ein revolutionäres Ereignis in der Automobilgeschichte. Er hatte vier Zylinder und zwei Liter Hubraum, 75 PS bei 4500 Umdrehungen pro Minute, Scheibenbremsen an allen vier Rädern und eine unverwechselbare Karosserie von zeitlos eleganter Schönheit. Dank Vorderradantrieb, hydropneumatischer Aufhängung und Servolenkung gewann er nach Behebung einiger Kinderkrankheiten zahlreiche Rennen, 1959 etwa die Rallye Monte Carlo in der Zweiliterklasse, die Adria-Rallye, die Wiking-Rallye, die Rallye Akropolis, den Alpenpokal, Lüttich–Rom–Lüttich und die Deutschland-Rallye.

★

Dorly Schupp hatte nach dem Drama im Margarethenpark eine schwere Zeit. Dreimal in den folgenden zehn Nächten flogen Steine durch ihr Schlafzimmerfenster. Jeden Morgen lagen in ihrem Briefkasten anonyme Schmähbriefe, und tagsüber besichtigten die Gaffer Dorly in der Schallplattenabteilung.

»An die Kriminalpolizei der Stadt Basel! Die Freundin von Sandweg&Velte – Das brave Mädchen, die Befreundete v. Sandweg&Velte, mit dem abgrundtiefen gegenseitigen Vertrauen und dem widerspruchsreichen Verhalten hat nicht vorsätzlich zur Spur dieser beiden Freunde verholfen. Sie tat das, was ihr das Gebot der Stunde eingab. Sie wußte, daß ihr im Park nichts geschah, denn die beiden rechneten auf ihre bisherige Treue in Sachen ihrer Mitwisserschaft. Nein, das brave Mädchen ist nicht schuld, daß sie beim ersten Sichkennenlernen Verbrechern in die Arme fiel, aber es folgte hörig & berechnend ihrem Ränkespiel von Pension zu Pension & lebte mit von dem blutbespritzten Gelde ihrer Getreuen. Ihr Verhalten ist genau dasjenige, daß sie Mitwisserin der verbrecherischen Tätigkeit ward & gerne hätte sie ausgewichen, aber die Stunde gebot, sich als Unbeteiligte aufzuspielen. Polizei, bist Du mit den Lobhudeleien an das brave Mädchen so verkauft, daß Du nicht mehr den Finger auf das verdächtige Geschwür zu legen getraust, um nicht blamiert zu sein? Wenn die Polizei nichts merken will, dann besorgen dies andere. Gezeichnet: ein Freund.«

★

Die National-Zeitung hielt schützend die Hand über Dorly Schupp: »Aus einer konfusen Romantik heraus behaupten einige, namentlich Frauen, sie hätte nicht in den Park hineingehen sollen, um ihre ›Freunde‹ zu verraten. Im Kino ist dies freilich anders. Aber vergegenwärtigen wir uns doch den vorliegenden Fall. Die Frau hatte sich nicht mit Velte und Sandweg befreundet, weil

sie sie für mehr oder weniger edle Räuber hielt, zu denen
man durch dick und dünn bis in den Tod hinein Treue
halten muß. Nein, sie war im guten und berechtigten
Glauben gewesen, es mit anständigen, wohlerzogenen,
gebildeten jungen Männern zu tun zu haben. Als sie
diese Illusion verlor, was für sie ein harter Schlag war, da
gab es für sie nur noch eines: unseren Behörden bei der
Ergreifung der Unholde behilflich zu sein, so weit es in
ihrer Kraft lag.«

★

Dorly Schupp bewohnte weiter ihr Mädchenzimmer
und lebte zusammen mit der Mutter an der Palmenstraße 23. Im Globus stieg sie im Laufe der Jahre zur
Ersten Verkäuferin der Schallplattenabteilung auf. Ihre
Spur verliert sich am dreiundzwanzigsten Dezember
1942, zwei Monate nachdem die Mutter beim Wäsche-
aufhängen an Herzversagen gestorben war. Laut Auskunft der Einwohnerkontrolle Basel hat Viktoria
Schupp sich abgemeldet nach Genf, Route de Rhône 72.
Dort aber ist nie eine Person dieses Namens registriert
worden.

Ende